D1359404

Zu diesem Buch

«Samstags, 10 Uhr, ist in Hamburg, der nahen und weiteren Umgebung Charly-Time. Lautstarke Kinder haben da Sendepause, diverse Wecker aber Klingelkontakt. Denn Langschläfer unterbrechen zu dieser Zeit die wochenendliche Entrückungsperiode (und in Hamburg, beiläufig, gibt es besonders viele Samstagsschläfer, ist hier doch nicht nur arbeits-, sondern gar schulfrei!), um sich auf den NDR einzustellen, aufs zweite Programm, Ultrakurzwelle also. Dort hat Charly seinen Auftritt, ohne daß er auftritt; denn Charly ist nur Vorwand, hinter ihm geht ein Junge in Deckung, wenn er seinen Vater ausfragt: ‹Papa, Charly hat gesagt...› ist die Formel, mit der er sich an den mürrischen Alten heranpirscht, um ihm seine Meinungen zu entlocken. An Themen ist kein Mangel, an kindlicher Heimtücke ebensowenig wie an väterlicher Bierruhe – ob es um lange Haare geht oder um die Beamten, um Italiener oder Neger, um Arme oder Reiche, um Pop oder Pille. Der Effekt dieser Alltags-Dialektik läßt sich am zustimmenden Hörerecho messen. Die ‹kleinen Injektionen in Sachen Demokratie› kommen an, der Gebrauchswert der von mehreren Autoren besorgten Hörspielserie bestätigt sich jede Woche neu. ‹In meiner Eigenschaft als Lehrer...›, dieser Hörersatz darf als Motto vieler Anfragen nach Manuskripten gelten. Lehrer schätzen die lockeren Miniszenen als Einstieg für den sozialkundlichen Unterricht, demonstrieren an ihnen soziale und unsoziale Haltungen, profitieren von den vergnüglichen Dialogen im Unterricht. Ihre Schüler sicher auch. Südwestfunk, RIAS Berlin und Deutsche Welle übernehmen bereits die akustischen Knüller» (Heinz Klunker in «Deutsches Allgemeines Sonntagsblatt»).

«Jetzt ist Charly im Hörfunk, was der Alfred Tetzlaff im Fernsehen (war) – ein Publikums-Heuler. Die Hamburger Hörspielabteilung wird mit Briefen überschwemmt. Hörer wollen wissen, wo man die frechen Texte kaufen kann» («Stern»). Weitere Gespräche zwischen Vater und Sohn sind enthalten in «Papa, Charly hat gesagt...» Band 2 (rororo Nr. 4071), «Papa, Charly hat gesagt...» Band 3 (rororo Nr. 4362), «Papa, Charly hat gesagt...» Band 4 (rororo Nr. 4645) und «Papa, Charly hat gesagt...» Band 5 (rororo Nr. 5139).

«Papa,
Charly hat gesagt . . .»

Gespräche
zwischen Vater und Sohn

Rowohlt

551.–575. Tausend April 1984

Veröffentlicht im Rowohlt Taschenbuch Verlag GmbH,
Reinbek bei Hamburg, Juli 1975
Copyright © 1974 by Fackelträger Verlag Schmidt-Küster GmbH,
Umschlagentwurf Dietrich Lange
Satz Aldus (Linotron 505 C)
Gesamtherstellung Clausen & Bosse, Leck
Printed in Germany
480-ISBN 3 499 11849 1

Inhalt

Rassismus
Eugen Helmlé

SOHN: Papa, Charly hat gesagt, sein Vater hat gesagt, bei uns gibt's immer noch . . .

VATER: Na, was gibt's immer noch?

SOHN: Ich weiß nicht mehr. Ich glaube, Bassisten.

VATER: Bassisten? Warum soll's die auch nicht mehr geben? Ich glaube, du verwechselst das. Meinst du vielleicht was anderes?

SOHN: Vielleicht hat Charly auch gesagt Rassisten. Gibt's das?

VATER: Ja, das gibt's, Rassisten, aber die gibt's überall, nicht nur bei uns.

SOHN: Warum sagt denn Charlys Vater, es gibt sie immer noch? Soll's sie nicht mehr geben? Was sind denn Rassisten eigentlich?

VATER: Naja, wie soll ich dir das erklären, Rassisten, das sind Leute, die behaupten, daß es Rassen gibt, die mehr wert sind als andere Rassen. Daß die weiße Rasse zum Beispiel der schwarzen überlegen ist.

SOHN: Und das stimmt nicht?

VATER: Also in der Form, wie die Rassisten das behaupten, stimmt es nicht. Zum Beispiel hat der Rassismus irgendwie keine wissenschaftliche Basis, das heißt, wissenschaftlich ist die Überlegenheit unserer Rasse über die anderen noch nicht bewiesen.

Sohn: Und warum gibt es dann den Rassismus?

Vater: Warum gibt es ihn? So einfach läßt sich diese Frage nicht beantworten. Einerseits kann man verstehen, wie der Rassismus entstanden ist, ich meine, vom allgemein menschlichen Standpunkt: jeder versucht den anderen abzuwerten, um sich aufzuwerten, das gilt für den einzelnen wie für Gruppen. Andererseits ist er natürlich zu mißbilligen, vor allem dort, wo er zur Ideologie geworden ist und fast ausschließlich aus Vorurteilen besteht.

Sohn: Und was tun Rassisten?

Vater: Sie versuchen, die Angehörigen anderer Rassen zu unterdrücken und manchmal sogar auszurotten.

Sohn: Werden bei uns auch Schwarze unterdrückt?

Vater: Nein, das gibt es bei uns nicht. In Amerika gibt's das, in Südafrika, da herrscht Apartheid, das heißt soviel wie strenge Rassentrennung. Aber bei uns in Deutschland, da gibt es keine Spannungen zwischen Schwarz und Weiß, da kann so was nicht passieren. Wir haben nichts gegen Neger, wir haben eben keine Rassenvorurteile.

Sohn: Aber Charlys Vater sagt, bei Hitler hat es das auch gegeben.

Vater: Ja, aber mit Schwarzen hat das weniger zu tun gehabt. Das ist auch schon lange her. Das war während der Nazizeit. Im Krieg. Einerseits waren damals andere Zeiten und andererseits hat die Bevölkerung auch nichts davon gewußt.

Sohn: Wären die Leute dagegen gewesen, wenn sie es gewußt hätten?

Vater: Ganz bestimmt. Also wenn ich es gewußt hätte, aber ich war ja damals noch viel zu jung, ich wäre ganz sicher dagegen gewesen. He, du, puste mir nicht in die Briefmarken. Und faß mir bloß keine an, mit deinen schmutzigen Fingern. Sag mal, du könntest dir ruhig ab und zu mal die Hände waschen.

SOHN: Du, Papa, krieg ich die eine Briefmarke, hier, die ausländische, die du doppelt hast?

VATER: Nein.

SOHN: Warum nicht?

VATER: Warum, warum. Frag nicht so dämlich. Du weißt genau, daß ich die zum Tauschen brauche.

SOHN: Du, Papa?

VATER: Ja, was ist?

SOHN: Du hast doch vorhin gesagt, daß es bei uns keine Rassenvorurteile gegen Schwarze gibt.

VATER: Richtig. Gibt es ja auch nicht.

SOHN: Und warum vermietet dann Frau Seidel nicht an Neger?

VATER: Wo hast du denn das her?

SOHN: Hat Charly gesagt. Hat Frau Seidel zu seiner Mutter gesagt. Die Neger nimmt sowieso keiner, die müssen lange suchen, ehe sie einer nimmt, und dann müssen sie auch mehr bezahlen als Weiße.

VATER: Das ist doch ausgemachter Quatsch. Weiße haben es genauso schwer bei der Wohnungssuche. Mit Rassismus hat das gar nichts zu tun. Es ist nur, weil die Wohnungen etwas knapp sind.

Aber die meisten Schwarzen sind eben überempfindlich, die bekommen alles gleich in den falschen Hals. Dabei ist Deutschland ein Land, wo man auch als Schwarzer leben kann, wenn man sich anständig benimmt und sich an Recht und Gesetz hält.

SOHN: Sag mal, Papa, warum sind denn die einen eigentlich weiß und die andern schwarz oder rot und so?

VATER: Das kann ich dir auch nicht sagen!

SOHN: Sonst weißt du immer alles.

VATER: Meine Güte, das mit den Hautfarben, das ist noch nicht so genau erforscht. Vielleicht liegt es an klimatischen Einflüssen, man weiß es nicht.

SOHN: Gibt es außer der Hautfarbe sonst keine Unterschiede?

VATER: Sicher gibt es noch andere Unterschiede.

SOHN: Was für Unterschiede sind das denn?

VATER: Also Neger zum Beispiel, die sind körperlich stärker. Deshalb findet man auch so viele gute Sportler unter ihnen, Läufer, Weitspringer, Boxer und so weiter. Darin sind sie uns wirklich überlegen, das muß man ganz ehrlich anerkennen. Auch Musiker gibt es ganz gute unter ihnen. Vor allem bei ihrer eigenen Musik, dem Jazz, da sind sie ganz groß.

SOHN: Aber neulich hast du doch gesagt, daß du Neger-Musik nicht magst?

VATER: Na und? Was hat das damit zu tun? Komm, komm, bleib mir von meinen Briefmarken weg, da hast du nichts zu suchen. Ich bin eben mehr für ernste Musik, für Oper und so. Und gerade da gibt es ja ganz ausgezeichnete schwarze Sänger.

SOHN: Gibt es auch was, wo Weiße besser sind?

VATER: Selbstverständlich. In geistiger Hinsicht zum Beispiel. Alle oder fast alle kulturellen und technischen Leistungen stammen von Weißen.

SOHN: Sind die Weißen intelligenter?

VATER: So pauschal kann man das nicht sagen. Aber nach den Leistungen zu urteilen, kann man es durchaus annehmen. Mit Rassismus hat das natürlich nichts zu tun.

Sag mal, kannst du nicht ruhig auf deinem Stuhl sitzen bleiben?

SOHN: Du, Papa, Charlys Schwester sagt, daß sie später einmal einen Neger heiraten will.

VATER: So? Hat sie das auch schon ihrem Vater beigebracht?

SOHN: Ja. Der hat gesagt, ihm ist das egal. Sie muß selber wissen, was sie tut.

VATER: Na ja, bei diesen Leuten darf einen das nicht wundern.

SOHN: Wieso?

VATER: Weil die Einstellung von Charlys Vater völlig verantwortungslos ist. So einfach kann man sich die Sache nicht machen.

SOHN: Wieso Papa? Ist das nicht gut, wenn man einen Schwarzen heiratet?

VATER: Im Prinzip ist natürlich nichts dagegen zu sagen. Aber man muß sich doch vor Augen halten, daß ein weißes Mädchen, das hier mit einem Schwarzen geht, daß das bald unten durch ist. Außerdem gehen solche Ehen selten gut aus, sie werden nämlich weder von den Schwarzen noch von den Weißen akzeptiert.

SOHN: Wieso?

VATER: Weil es eben besser ist, wenn Schwarz und Weiß unter sich bleibt.

SOHN: Warum sollen sie denn unter sich bleiben? Du hast doch vorhin gesagt, die Neger können in Deutschland gut leben.

VATER: Sicher, das können sie ja auch. Aber das heißt noch nicht, daß Schwarze und Weiße gleich heiraten sollen. Das führt doch zu nichts anderem als zum Rassenchaos. Die Leidtragenden sind schließlich immer nur die Kinder, die aus solchen Verbindungen hervorgehen. Die haben es überall schwerer als andere.

SOHN: Warum haben sie's schwerer? Sind sie dümmer?

VATER: Ja, zum einen, weil sie dümmer oder sagen wir besser geistig bedürfnisloser sind und zum andern, weil Mischlinge, und das ist allgemein bekannt, das kann man in jedem Lehrbuch über Vererbungslehre nachlesen, weil Mischlinge eben in der Regel die schlechten Eigenschaften beider Rassen mitbekommen.

SOHN: Dann bist du dafür, daß jede Rasse für sich bleiben soll?

VATER: Genauso ist es, mein Junge.

SOHN: Aber in Amerika und Südafrika, hast du gesagt, sind die Rassisten für Rassentrennung . . .

VATER: Nun, jaaa . . .

SOHN: Ist man dann nur in Amerika und Südafrika, wenn man für Rassentrennung ist, ein Rassist?

Haare
Eugen Helmlé

Der Vater döst sanft über seinem Bier.

SOHN: Papa, Charly hat gesagt, sein Großvater hat gesagt . . .

VATER: Na, was hat Charlys Großvater gesagt?

SOHN: Charlys Großvater hat gesagt, er lehnt aus Prinzip lange Haare ab. Alle Langhaarigen sind Gammler, die nicht arbeiten wollen, hat er gesagt.

VATER: So, hat er das gesagt? Der ist doch schon ziemlich verkalkt?

SOHN: Ich lach mir 'n Ast. Das gleiche hat Inge auch gesagt.

VATER: Wer ist Inge?

SOHN: Charlys Schwester. Die ist Klasse. Die hilft uns immer bei den Aufgaben. Die geht ins Gymnasium.

VATER: Und das gibt ihr das Recht, sich über ihren Großvater lustig zu machen? Hör zu. Wir brauchen Charlys Schwester nicht. Du weißt, daß du jederzeit zu mir kommen kannst, wenn du was nicht weißt.
Schicken die das Kind ins Gymnasium! Kommen sich wohl fortschrittlich vor.

SOHN: Was ist denn fortschrittlich, Papa?

VATER: Fortschrittlich ist, wenn man sich zeitgemäß gibt, modern denkt, an den Fortschritt glaubt.

SOHN: Und keine Vorurteile hat?

VATER: Natürlich.

SOHN: Bist du nicht fortschrittlich, Papa?

VATER: Schon – aber auf eine etwas andere Weise als diese Leute. Jedenfalls bemühe ich mich, die Dinge klar zu sehen und mir nichts vorzumachen.

Du hättest es übrigens selber nötig, mal wieder zum Friseur zu gehen.

SOHN: Warum?

VATER: Du weißt, daß Mama nicht will, daß du so rumläufst.

SOHN: Aber wenn du willst?

VATER: Wer hat denn gesagt, daß ich will?

SOHN: Aber eben hast du doch gesagt, es ist nur, weil Mama nicht will.

VATER: Wir wollen halt beide nicht. Und jetzt laß mich in Ruhe. Du siehst doch, daß ich lese.

Doch nach kurzer Pause nimmt der Junge einen neuen Anlauf.

SOHN: Papa, darf ich mal was fragen?

VATER: Was gibt's denn schon wieder?

SOHN: Warum darf denn Mama?

VATER: Was meinst du damit? Was darf Mama?

SOHN: Mama darf lange Haare haben, warum darf ich nicht auch?

VATER: Das ist doch ganz was anderes. Ich habe ja nichts Grundsätzliches gegen lange Haare. Obgleich es bei Männern nicht gut aussieht. Die Leute halten dich dann gleich für einen Asozialen.

Und ich bin schließlich höherer Beamter, wir können es uns

einfach nicht erlauben, wie diese Gammler herumzulaufen. Es gefährdet das Ansehen.

SOHN: Warum?

VATER: Warum? Kannst du aber mal dumm fragen! Weil es schmutzig ist, dieses lange Haar. Ich habe früher mal einen Zigeuner gesehen, der hatte auch so lange Haare, bei dem liefen die Läuse auf dem Rockkragen spazieren. Als Mann kann man eben keine langen Haare tragen.

SOHN: Aber ich bin ja noch gar kein Mann. Das hast du selbst gesagt, neulich, als ich rauchen wollte.

VATER: Wenn du ein Mann wärst, würdest du auch begreifen, daß langes Haar ungepflegt aussieht, weil man Haare eben nur bei einem vernünftigen Schnitt pflegen kann.

SOHN: Ist dann Mama ungepflegt?

VATER: Mama, wieso Mama?

SOHN: Mama hat doch auch lange Haare.

VATER: Ja, aber Mama ist ja auch kein Mann. Und jetzt laß mich endlich in Ruhe. Kannst du nicht spielen wie andere Kinder auch?

SOHN: Warum darf sich denn Charly die Haare wachsen lassen und ich nicht?

VATER: Was Charly darf, geht uns nichts an. Dafür kannst du vieles tun, was Charly nicht tun kann. Und jetzt sieh zu, daß du ins Bett kommst. Es ist langsam Zeit.

SOHN: Ja, gleich.

Papa, hast du früher auch nie lange Haare haben wollen?

VATER: Zu meiner Zeit gab es keine langen Haare. Da wurden die Jungens noch zu richtigen Männern erzogen.

SOHN: Wann war denn deine Zeit?

VATER: Naja, ich meine, als ich so alt war wie du.

SOHN: Wann war denn das?

VATER: Das war so kurz vor dem Krieg.

Da gab's diese Sudelheinis noch nicht. Damals herrschte noch Ordnung, da gammelte keiner rum, und für langhaarige Nichtstuer war erst recht kein Platz.

SOHN: Charlys Schwester sagt aber, früher, im Krieg und so, da war es ganz schlimm. Stimmt das?

VATER: Charlys Schwester ist viel zu jung, um das zu wissen.

SOHN: Die haben das aber in der Schule durchgenommen, in der Gemeinschaftskunde.

VATER: Das ist alles nur graue Theorie.

SOHN: Charly hat gesagt, sein Vater hat gesagt, daß es damals schlimm war und daß alle nichts hätten tun dürfen, was sie selber hätten tun wollen. Hat es deshalb keine langen Haare gegeben?

VATER: Charlys Vater! Charlys Vater! Du bringst das alles ein bißchen durcheinander. Das eine hat mit dem andern nichts zu tun. Ich bin bestimmt gegen vieles, was damals so passiert ist, aber was wahr ist, ist wahr, und diese ungewaschenen Langhaarigen, die gab es eben nicht. Man braucht wirklich keine Vorurteile zu haben, um diese Typen einfach zum Kotzen zu finden. Und deshalb läßt du dir die Haare nicht wachsen. Hier bestimme ich. Immer noch. Und damit basta.

SOHN: Hat Mama nichts zu bestimmen?

VATER: Sicher hat Mama auch zu bestimmen, in einer Familie bestimmen beide, Vater und Mutter, aber der Vater hat etwas mehr zu bestimmen, weil er der Mann ist.

SOHN: Und warum hat der Mann mehr zu bestimmen?

VATER: Weil der Mann der Haushaltsvorstand ist und weil er das Geld verdient.

SOHN: Und ich lasse mir doch die Haare wachsen, wie Charly.

VATER: Schluß jetzt mit der Diskussion. Ich werde doch noch mit meinem Herrn Sohn fertigwerden.

SOHN: Siehst du, du läßt mich auch nicht tun, was ich will. Du bist wie die Leute damals. Wie Charlys Großvater bist du! Und du hast gesagt, daß du keine Vorurteile hast.

VATER: Ich habe keine Vorurteile, aber ich habe Prinzipien!

SOHN: Papa, bist du dann nicht auch verkalkt?

Beförderung in der Verwaltung
Eugen Helmlé

Die Familie ißt Mittag. Die Geräusche entsprechen der Situation.

SOHN: Papa, Charly hat gesagt, sein Vater hat gesagt, wenn er . . .

VATER: Halt den Mund und iß!

SOHN: Papa, du bist doch Beamter?

VATER: Das weißt du doch.

SOHN: Dann hast du es doch bestimmt gut, nicht wahr, Papa?

VATER: Wie kommst du denn darauf?

SOHN: Weil Charly gesagt hat, daß sein Vater gesagt hat, wenn
man Beamter wäre, dann hätte man es besser.

VATER: So einen Unsinn kann nur Charlys Vater von sich geben.

SOHN: Wieso ist das Unsinn?

VATER: Weil Charlys Vater gar nicht weiß, wovon er spricht.
Woher soll er es auch wissen!
Und du iß jetzt und leg nicht die Ellbogen auf den Tisch.

SOHN: Darf Mama auch nicht die Ellbogen auf den Tisch legen?

VATER: Komm, werd nicht albern. Mama legt nie die Ellbogen auf
den Tisch.

SOHN: Sag doch, warum haben es die Beamten besser? Charly
sagt . . .

VATER: Den Floh hat ihm bestimmt sein Vater ins Ohr gesetzt. Mehr Verantwortung hat ein Beamter, das hat er, aber besser hat er's nicht. Aber die Leute denken immer nur an die paar Pfennige, die ein Beamter vielleicht mehr hat als ein Arbeiter zum Beispiel.

SOHN: Verdienst du viel mehr als Charlys Vater?

VATER: Weiß ich nicht. Etwas mehr wohl schon. Und jetzt setz dich endlich gerade hin und iß!

Doch nach zwei Bissen, den Mund noch voll, fragt der Junge weiter:

SOHN: Charly hat gesagt, Beamte werden immer befördert, hat sein Vater gesagt, Arbeiter aber nie. Wo werden die denn hinbefördert?

VATER: Stell dich nicht dümmer an, als du bist. Die werden nirgendwo hinbefördert. Außerdem stimmt es gar nicht, daß nur Beamte befördert werden. Arbeiter zum Beispiel können Vorarbeiter werden.

SOHN: Alle?

VATER: Na ja, nicht alle, aber einige.

SOHN: Müssen die den anderen was vorarbeiten?

VATER: Natürlich nicht, die passen auf, daß die anderen richtig arbeiten und so.

SOHN: Nennt man das dann befördert?

VATER: Ja.

SOHN: Werden von den Beamten auch nur einige befördert?

VATER: Nein, im Prinzip werden alle Beamten mal befördert, manche öfter, das kommt auf die Leistungen an.

SOHN: Und die Arbeiter, leisten die weniger und werden deshalb weniger befördert?

VATER: So kann man das nicht sagen. Außerdem verstehst du das
noch nicht.

Los, iß jetzt!

SOHN: Sag mal, Papa, verdient man dann mehr, wenn man befördert wird?

VATER: Na ja, schon. Klar. Man hat ja auch mehr Verantwortung.

SOHN: Warum werden dann auch nicht alle Arbeiter zu Vorarbei-
tern befördert?

VATER: Weil das nicht geht. Wenn alle Vorarbeiter sind, will
keiner mehr arbeiten. Dann will jeder nur noch herumkom-
mandieren und auf den andern aufpassen. Wer soll denn da die
Arbeit machen?

SOHN: Aber die Beamten werden doch auch alle befördert, hast du
gesagt.

VATER: Ja. Das geht halt automatisch.

SOHN: Wollen die dann auch nicht mehr arbeiten?

VATER: Bei den Beamten ist das was anderes. Das habe ich dir doch
vorhin schon erklärt; die haben dann mehr Verantwortung.

SOHN: Was ist denn eine Verantwortung?

VATER: Verantwortung ist, wenn man für seine Handlungen ein-
steht, ihre Folgen trägt, besonders wenn man etwas falsch
gemacht hat.

Wenn du zum Beispiel etwas von Charlys Spielzeug kaputt
machst, mußt du es auch bezahlen.

SOHN: Tragen alle Beamten die Folgen für ihre Handlungen?

VATER: Im Prinzip ja.

SOHN: Müssen die dann bezahlen, wenn sie was kaputt machen?

VATER: Na ja, das kommt drauf an . . .

SOHN: Auf was?

VATER: Sei jetzt endlich still, hier wird gegessen und nicht gesprochen. Und setz dich gerade hin. Hast du von Mama auch nur ein

einziges Wort gehört? Also!

Lange dauert die Pause nicht.

SOHN: Beamte haben es aber doch besser, hat Charly gesagt. Der Kumpel von Charlys Vater . . .

VATER: Das heißt nicht Kumpel, das heißt Freund oder Kamerad. Kumpel klingt ordinär und außerdem ist ein Kumpel jemand, der im Bergwerk arbeitet.

SOHN: Charly sagt aber, es ist der Kumpel von seinem Vater.

VATER: Also, was ist mit diesem «Kumpel», wie Charly sagt.

SOHN: Der ist nicht befördert worden, weil er nur Arbeiter ist, die Beamten aber werden, sagt er.

VATER: Das kann man doch gar nicht vergleichen, begreif doch endlich. Beamte, die werden vom Staat angestellt oder von einer Stadt, die Arbeiter hingegen . . .

SOHN: Aber der Kumpel von Charlys Vater, der ist auch bei der Stadt angestellt, und der hat eine Prüfung gemacht, weil er jeden Abend in einen Kurs gegangen ist, und dann hat er mehr Geld gewollt und befördert werden und so.

VATER: Kann ich mir denken. Das wollen die ja immer. Wo aber die Stadt das Geld hernimmt, danach fragen sie nicht.

SOHN: Er hat aber gar nicht mehr gekriegt und ist auch gar nicht befördert worden. Weil er Arbeiter ist, hat Charly gesagt, waren die meisten vom Stadtrat dagegen.

VATER: Das ist doch Quatsch!
Die waren bestimmt nicht dagegen, weil er Arbeiter ist, sondern weil die Stadt eben sparen muß.

SOHN: Charlys Vater sagt aber, wenn sein Kumpel Beamter gewesen wäre . . .

VATER: Kann ich mir denken, daß Charlys Vater das sagt.

22

Was der sich so alles einbildet! Keine Ahnung, wie es wirklich zugeht.

SOHN: Aber Charly hat gesagt, sein Vater hat gesagt, den Chef vom Bauamt, den hätten sie befördert, und da hätten alle dafür gestimmt, obwohl der viel mehr Geld bekommt als der Kumpel von Charlys Vater.

VATER: Dafür muß er auch mehr leisten.

SOHN: Hat er denn vorher weniger geleistet? Er war doch schon der Chef?

VATER: Glaub mir, das hat schon seine Richtigkeit.

SOHN: Charly hat gesagt, sein Vater hat gesagt, daß jetzt bestimmt die Straßen ausgebaut werden, wo die vom Stadtrat wohnen.

VATER: So, so, hat er das gesagt? Charlys Vater sollte sich besser etwas zurückhalten, was er da erzählt, ist schon fast Verleumdung. Schließlich hat er keine Beweise für solche Behauptungen.

SOHN: Aber du hast doch gesagt, jeder darf offen seine Meinung bei uns sagen.

VATER: Es muß aber auch stimmen, was er sagt.

SOHN: Stimmt das auch nicht, daß im Stadtrat kaum Arbeiter sind?

VATER: Na ja, das stimmt schon. Aber daran sind diese Leute selber schuld.

SOHN: Bekommen deshalb die Arbeiter weniger Geld?

VATER: Quatsch, ein Beamter in leitender Stellung, der hat eben schon größere Opfer gebracht, der hat Schulen besucht und Prüfungen gemacht.

SOHN: Aber der Kumpel von Charlys Vater hat doch auch Opfer gebracht, deshalb wollte er ja befördert werden.

VATER: Jede Beförderung kostet die Stadt Geld, wenn man da

jeden Arbeiter befördern wollte . . .

SOHN: . . . dann könnte die Stadt wohl nicht mehr jeden Beamten befördern?

VATER: Du wirfst doch alles durcheinander, jetzt reißt mir aber langsam die Geduld . . .

SOHN: Papa, wenn man Opfer bringt, dann bringt man die doch für irgend etwas?

VATER: Jaaa . . .

SOHN: Dann haben es die Beamten doch besser als Arbeiter, wie Charlys Vater sagt.

VATER: Jaaa – Nein! Und jetzt ist endgültig Schluß, Freundchen, setz dich gerade hin und iß zu Ende!

SOHN: Aber wenn doch die Beamten Opfer bringen, damit sie später mehr verdienen, und der Kumpel von Charlys Vater . . .

VATER: Ein Wort noch . . .

SOHN: . . . hat er, hat er dann das Opfer gebracht, damit du später mehr verdienen kannst?

Papa trimmt sich
Hansjürgen Meyer

Vater und Sohn halten sich im Trimm-Dich-Raum auf. Der Vater springt Seil.

SOHN: Papa, Charly hat gesagt . . .
VATER: Mach . . . deine . . . Liegestütze.
SOHN: Ich bin schon fertig.

Der Vater hört auf zu springen.

VATER: Nur nicht . . . schlappmachen.
SOHN: Papa, Charly hat gesagt, sein Vater braucht keinen Fitness-Raum.

Vater springt weiter.

VATER: Ein Fitness-Raum . . . gehört in jeden besseren Haushalt.
SOHN: Charly sagt, sein Vater kann hundertmal Seil springen.

Nun springt der Vater schneller.

Wenn er Lust dazu hat.

Aber meistens hat er keine Lust dazu.

Weil er sowieso in Form ist, sagt Charly.

VATER: Der arbeitet eben . . . körperlich . . . und ich geistig . . .

SOHN: Aber du willst doch auch so gut werden, wie Charlys Vater.
Deshalb.

VATER: Quatsch! Ich brauche das . . . als Ausgleich . . . für meine
Arbeit im Büro.

SOHN: Weil du immer nur auf dem Stuhl sitzt und einen Bauch
kriegst?

VATER: Was?!

SOHN: Mama sagt, du hast einen Bauch. Deshalb kriegst du doch
nur noch Quark zum Abendessen. *Der Vater erhöht das Tempo
noch, springt immer schneller und hört dann plötzlich auf.*
Kannst du nicht mehr?

VATER: Ich werd mal . . . trockenrudern.

SOHN: Find ich auch bequemer, da kann man wenigstens
sitzen . . .

VATER: Red nicht! Jetzt kommen die Armmuskeln dran.

SOHN: Ach so. Bist du denn nicht stark genug für deine Arbeit im
Büro?

VATER: Natürlich bin ich stark genug . . . aber im Büro . . .

SOHN: Warum hörst du auf? Kannst du nicht mehr?

VATER: Natürlich kann ich noch. Sieh her! Aber im Büro . . . da
erschlaffen eben die Muskeln.

SOHN: Das macht doch nichts. Bei Charlys Vater, das wäre was
anderes, aber wo du doch deine Muskeln gar nicht brauchst bei
der Arbeit . . .

VATER: Wenn die Muskeln schlaff werden . . . wird auch der Geist
schlapp . . . Und schlappe Leute haben bei uns nichts verloren.

SOHN: Aber ein bißchen schlapp bist du schon, oder?

VATER: Himmelnochmal!

SOHN: Weil du so langsam ruderst.

VATER: Ja, und jetzt wieder schneller. Das nennt man . . . Intervalltraining.

SOHN: Ein Glück, daß du so klug bist, Papa. Sonst hättest du nicht gewußt, warum du so langsam ruderst.

Der Vater steigert die Schlagzahl.

Warum darf man denn eigentlich nicht schlapp sein in eurem Büro, Papa?

VATER: Wer schlapp ist . . . der wird auch krank . . . Und wer krank ist . . . der kann nicht arbeiten. So, genug gerudert. Jetzt wird geboxt.

SOHN: Charly hat aber gesagt, meistens wird man vom Arbeiten krank.

Hat sein Vater gesagt.

VATER: Der hat wohl keine Lust . . . zu arbeiten.

SOHN: Er sagt, zum Beispiel gibt es eine Mehlstauballergie, oder so ähnlich.

VATER: Was gibt's?

SOHN: Das ist, wenn ein Bäcker das Mehl nicht verträgt, was da immer so in der Luft rumfliegt. Und dann wird er krank. Und muß seinen Beruf wechseln. Oder manchmal kann er überhaupt nicht mehr arbeiten. Wegen Bronchitis, oder so . . . Hat Charly gesagt.

VATER: Das ist was ganz anderes . . . das ist eine Berufskrankheit . . . gibt noch mehr Berufskrankheiten . . .

SOHN: Dicke Bäuche auch?

VATER: Krankheiten hab ich gesagt . . . die schwere Verantwortung . . . Magengeschwüre gibt's da häufig . . . ewig diese Magengeschwüre in der Abteilung . . .

SOHN: Und dagegen kann man mit Boxen was machen?

Der Vater läßt sich nicht beirren! Er boxt weiter.

Sag mal, Papa, warum trainierst du eigentlich nicht im Büro?
Mit den anderen.

VATER: Du hast vielleicht . . . Einfälle.

SOHN: Wenn die auch im Büro arbeiten, müssen sie doch genauso
trainieren. Weil sie auch immer nur auf dem Stuhl herumsitzen
und einen Bauch kriegen.

VATER: Sei nicht albern. Wenn da auf einmal . . . alle herumtur-
nen wollten!

SOHN: Aber du und deine Kollegen aus dem Büro, ihr trainiert
doch bloß, damit ihr arbeiten könnt, hast du gesagt.
Dann könnt ihr doch auch auf der Arbeit trainieren.

VATER: Ein Büro ist ein Büro . . . und in der Arbeitszeit wird
gearbeitet . . .

SOHN: Ich meine, bloß eine halbe Stunde am Tag. Mehr trainierst
du ja zu Hause auch nicht.

VATER: Das rechne mal aus . . . 500 Mann eine halbe Stunde am
Tag . . . den Arbeitsausfall kann keiner bezahlen . . . und außerdem . . .

Vater boxt verbissen weiter.

SOHN: Was außerdem?

VATER: Weißt du . . . das gäbe so einen Massenbetrieb.

SOHN: Was ist denn das, ein Massenbetrieb?

VATER: Wenn eine Unmenge Leute . . . wenn die eben alle auf
einem Haufen herumspringen.

SOHN: Du, das fänd ich aber prima.

VATER: Na.

SOHN: Wenn wir Versteck spielen zum Beispiel. Wenn wir da ordentlich viele sind, dann ist das doch viel spannender.

VATER: Versteck spielen . . .

SOHN: Oder Fußball. Da braucht man auch zwei Mannschaften! Alleine ist so was doch langweilig.

VATER: Bei Kindern ist das was anderes . . .

SOHN: Wieso?

VATER: Kannst du dir gar nicht vorstellen, daß man als Erwachsener das nicht vertragen kann, wenn alle um einen herumspringen . . . und stöhnen.

SOHN: Aber der Vater von Charly spielt doch auch nicht alleine Fußball. Der ist nämlich im Verein. Hast du keine Lust, mal mit Charlys Vater Fußball zu spielen?

VATER: Nein! . . . Charlys Vater soll mit Leuten seines Schlages Fußball spielen . . . die sind körperlich . . . die passen nicht zu mir . . . die sind eben anders.

SOHN: Und deshalb trainierst du hier allein zu Hause?

VATER: Jawohl! . . . in meinem Fitness-Raum.

SOHN: Trainieren die andern aus deinem Büro auch zu Hause in ihrem Fitness-Raum?

VATER: Weiß ich nicht . . . aber die, die was auf sich halten, bestimmt . . .

SOHN: Das ist aber ganz schön teuer.

VATER: Was?

SOHN: Mama hat gesagt, die Geräte kosten so viel Geld, ihr wäre es lieber . . .

VATER: Was geht das Mama an, ich verdiene das Geld . . .

SOHN: Komisch. Weißt du, weil Charly nämlich gesagt hat, der Sportverein, wo sein Vater drin ist, der kostet fast gar nichts, zwei Mark oder so was. Und Geräte haben die auch . . .

VATER: Ich sage dir doch . . . Charlys Vater und seinesgleichen . . . zu denen passe ich nicht . . .

SOHN: Du kannst ja vielleicht mit deinen Kollegen aus dem Büro einen Verein aufmachen . . .

VATER: Ich hab dir doch erklärt . . . ach, was rege ich mich auf . . .

Der Vater boxt.

SOHN: Ich meine ja nur, weil Charlys Vater nur zwei Mark bezahlt, und du und die Leute aus deinem Büro, ihr kauft euch so teure Geräte.

Und dabei sind es dieselben wie im Verein, sagt Charly . . .

VATER: Wer in seinem Beruf fit bleiben will, der darf die finanziellen Opfer nicht scheuen, und außerdem arbeite ich ja schließlich dafür.

SOHN: Du arbeitest, damit du die Geräte bezahlen kannst?

VATER: Auch! Verdammt noch mal.

SOHN: Und die Geräte hast du, damit du trainieren kannst?

VATER: Ja!

SOHN: Und trainieren kannst du, damit du arbeiten kannst . . .

Der Vater boxt.

Du, Charly hat gesagt, sein Vater trainiert, weil es ihm Spaß macht. Und hinterher gehen sie einen saufen.

Der Vater boxt unverdrossen.

Macht es dir eigentlich auch Spaß?

VATER: Darauf kommt es nicht an.

SOHN: Worauf kommt es denn an, Papa?

VATER: Das hab ich dir doch schon hundertmal erklärt. Hörst du eigentlich nicht zu? Weil ich fit sein muß, weil ich dafür Geld kriege – hier die Arbeit, hier das Geld.

Der Vater hört auf zu boxen.

SOHN: Charlys Vater arbeitet aber auch für Geld. Also, da finde ich, da seid ihr gleich.

Dann kannst du eigentlich auch mit ihm trainieren. Ist doch langweilig, so alleine. Und Geräte haben die auch da. Ehrenwort.

Na schön. Du bist eben nicht so gut wie Charlys Vater. Aber der läßt dir bestimmt 'ne Vorgabe.

VATER: Jetzt aber raus! Raus aus meinem Fitness-Raum!

Intellektuelle
Klaus Emmerich und Ingrid Hessedenz

Sohn: Papa. Charly hat gesagt, sein Vater hat gesagt, alle Intellektuellen sind . . .

Der Vater blättert in einer Zeitung.

Vater: Was hat Charlys Vater gesagt?
Sohn: Vielleicht hat es Charlys Vater gar nicht gesagt. Nur Charly.
Vater: Was hat er denn gesagt?
Sohn: Alle Intellektuellen sind Scheißer.
Vater: Kann ich mir denken, daß Charlys Vater das gesagt hat.
Sohn: Wieso?
Vater: Wieso – weil Charlys Vater kein Intellektueller ist. Deshalb hat er das gesagt.
Sag mal, kann ich nicht mal in Ruhe Zeitung lesen? Schau mal, was Mama in der Küche macht.
Sohn: Aber wieso sind alle Intellektuellen Scheißer?
Vater: Schau mal, ich habe den ganzen Tag gearbeitet und konnte noch nicht einen Blick in die Zeitung werfen. Kannst du mich nicht mal fünf Minuten alleine lassen?

Sohn: Mama hat gesagt, du liest den ganzen Tag in der Arbeit.

Vater: Beruflich! Das ist was ganz anderes! Komm, schieb ab. Kannst ja Mama fragen – bring mir aber noch ein Bier.

Der Sohn verschwindet, steht aber kurz darauf wieder in der Tür.

Sohn: Papa, Mama hat gesagt, sie weiß es auch nicht. Du wärst jedenfalls keiner.

Vater: Wo ist das Bier?

Sohn: Hab ich vergessen.

Vater: Hat Mama das wirklich gesagt? Die hat ja keine Ahnung.

Sohn: Hat sie ja auch gesagt.

Vater: Was?

Sohn: Daß sie keine Ahnung hat. Was ist denn ein Intellektueller?

Vater: Einer, der denken kann.

Sohn: Kann doch jeder.

Vater: Kann. Denken tun viele, aber können tun's wenige!

Sohn: Wieso?

Vater: Es sind doch nicht alle Menschen gleich. Die einen arbeiten mit den Händen, die anderen mit dem Kopf. Und die müssen denken können. Das ist schon immer so gewesen. Früher im Krieg wurden solche Leute sogar ganz anders verpflegt. Da haben die einen das gekriegt und die anderen das. Da war immer schon ein Unterschied.

Sohn: Was haben die denn gegessen?

Vater: Herrgott, das weiß ich doch nicht. Da mußt du Opa fragen, wenn wir das nächste Mal hingehen.

Sohn: Wenn jetzt Krieg wäre, was würdest du denn da kriegen?

Vater: Es kommt kein Krieg.

SOHN: Wieso? Charly hat gesagt, sein Vater hat gesagt, Krieg ist immer.

VATER: Charlys Vater! Charlys Vater! Es hat noch nie Krieg gegeben, wenn es den Leuten gutgeht.

SOHN: Papa, bist du Intellektueller?

VATER: Naja, das kann man nicht so sagen. Einerseits ja – aber andererseits – da gibt es ja auch Unterschiede. Schau mal: Du und Charly, ihr seid jetzt in der zweiten Klasse. Da lernt ihr beide das gleiche. Aber schon jetzt bringst du bessere Zensuren nach Hause als Charly. Das muß nicht daran liegen, daß Charly dümmer ist als du. Der lernt vielleicht bloß nicht so gerne. Und tut lieber was Praktisches wie sein Vater.

SOHN: Ja, das stimmt. Charly hat gesagt, er will Pilot werden.

VATER: Das kann er gar nicht.

SOHN: Wieso?

VATER: Weil er da gute Zensuren braucht.

SOHN: So schlecht ist Charly gar nicht. Von Flugzeugen hat er unheimlich Ahnung. Weißt du, was Turbulenzen sind?

VATER: Nein.

SOHN: Charly weiß das. Hat er von seinem Vater. Das ist, wenn es in der Luft Löcher gibt, und die Flugzeuge stürzen ab.

VATER: Charlys Vater muß es ja wissen. Vielleicht weiß er dann auch, daß Charly auf die Oberschule muß, wenn er Pilot werden will.

SOHN: Weiß er ja. Charly hat gesagt, sein Vater hat gesagt, wir gehen zusammen auf die Oberschule.

VATER: So? – Seit wann denn das?

SOHN: Herr Schaller hat das auch gesagt. Charlys Vater war nämlich in der Schule und hat ihn gefragt. Und da hat Herr Schaller gesagt, hat Charly gesagt, Charlys Vater müßte Charly nur ein bißchen helfen, da wo es keinen Spaß macht. – Ist Pilot

Intellektueller?

VATER: Naja, das kann man nicht so sagen. Einerseits ja – aber andererseits – da gibt es ja auch Unterschiede. Schau mal: Du und Charly, ihr seid jetzt in der zweiten Klasse. Und wenn alles so kommt, wie ihr euch das vorstellt, dann seid ihr in zwei Jahren auf der Oberschule. Und wenn ihr dann neun Jahre lang fleißig lernt, überleg dir mal, das ist so lang wie du jetzt alt bist, dann macht ihr beide euer Abitur. Und dann geht Charly auf die Pilotenschule und lernt fliegen, und du gehst auf die Universität und studierst.

SOHN: Ich werd auch Pilot.

VATER: Hat das auch Charlys Vater gesagt?

SOHN: Nein, Charly. Ich werd dann Charlys Co-Pilot.

VATER: Oder er deiner.

SOHN: Sind wir dann Intellektuelle?

VATER: Nein. Intellektueller wirst du, wenn du auf die Universität gehst und was Ordentliches studierst. Wenn du zum Beispiel Arzt wirst oder Richter.

SOHN: Warst du denn auf der Universität?

VATER: Ja.

SOHN: Und warum bist du kein Arzt oder Richter?

VATER: Weil Opa wenig Geld gehabt hat, und deshalb hatte ich auch kein Geld, und da konnte ich nicht weiterstudieren.

SOHN: Wieso hat Opa kein Geld gehabt?

VATER: Weil es Leute gibt, die viel Geld haben und Leute gibt, die wenig Geld haben. Opa war Arbeiter und hatte wenig Geld.

SOHN: Charlys Vater ist auch Arbeiter. – Der ist kein Intellektueller, nicht?

VATER: Nein.

SOHN: Und Opa ist auch kein Intellektueller, nicht?

VATER: Nein.

SOHN: Ist Intellektueller, wenn man Geld hat? – Kann Charly dann nicht studieren?

VATER: Heute ist das anders. Heute kann jeder studieren. Das zahlt alles der Staat. Außerdem will Charly ja Pilot werden.

SOHN: Wird er bestimmt.

VATER: Bestimmt ist gar nichts.

SOHN: Wieso? Wenn Charly doch will?

VATER: Schau mal: Vielleicht schafft Charly das Abitur auf der Oberschule gar nicht, dann kann er auch nicht auf die Pilotenschule. Oder Charlys Vater stirbt, und dann muß Charly Geld verdienen.

SOHN: Muß ich auch Geld verdienen, wenn du stirbst?

VATER: Naja, das kann man nicht so sagen. Einerseits ja – aber andererseits – da gibt's ja auch wieder Unterschiede. Wenn Charlys Vater stirbt, muß Charly Geld verdienen, weil seine Mutter dann nicht genug Rente bekommt. Wenn ich sterbe, bekommt Mama genug Rente, und du kannst auf jeden Fall studieren oder Pilot werden.

SOHN: Wieso kriegt Charlys Mutter weniger Rente als Mama?

VATER: Weil Charlys Vater weniger verdient als ich.

SOHN: Wieso?

VATER: Es sind doch nicht alle Menschen gleich! Die einen arbeiten mit den Händen, die anderen mit dem Kopf! Und die müssen denken können. Das ist schon immer so gewesen! Und die einen kriegen das und die anderen das. Charlys Vater arbeitet mit den Händen und kriegt soundso viel, und ich arbeite mit dem Kopf und kriege mehr, weil ich mehr weiß als Charlys Vater!

SOHN: Charlys Vater weiß aber 'ne Menge!

VATER: Ja! Und ich weiß eben mehr!

SOHN: Wieso?

VATER *gereizt*: Weil ich einen intellektuellen Beruf habe, da muß ich mehr wissen!

SOHN: Dann bist du also Intellektueller?

VATER: Ja.

SOHN: Bist du dann auch ein Scheißer?

Papa hat nichts gegen Italiener
Margarete Jehn

Vater und Sohn sind allein.

SOHN: Papa, Charly hat gesagt, sein Vater hätt was gegen Italiener.

VATER: So? Letzte Woche hast du's doch noch ganz anders erzählt.

SOHN: Das war vielleicht vorher. Bevor Charlys Vater Vincenzo kennengelernt hat.

VATER: Und wer ist das – Vincenzo?

SOHN: Vincenzo? Ein Italiener. Der trainiert immer mit uns auf dem Bolzplatz.

VATER: Und Charlys Vater mag diesen Vincenzo nicht?

SOHN: Er hat gesagt, er will mit diesem Makkaronifresser nicht an einem Tisch sitzen. Charlys Mutter hat aber nichts gegen Vincenzo.

VATER: Und was sagt dieser Ma – und was sagt dieser Vincenzo dazu?

SOHN: Nichts. Er sagt, wenn Charlys Vater was gegen ihn hat, dann will er sich auch nicht aufdrängen, dann bleibt er eben zu Haus. Vincenzo hat nur ein ganz kleines Zimmer, sagt Charly, da ist nicht mal 'ne Heizung drin. Aber er muß eine Menge Geld dafür bezahlen – das machen die Leute hier mit allen Gastarbeitern so.

VATER: Tja – meistens haben diese Gastarbeiter aber selbst schuld. Sie brauchten doch diese Wucherpreise nicht zu zahlen.

SOHN: Charly hat gesagt, sonst kriegen die überhaupt keine Wohnung. Die meisten Leute hier mögen Italiener nicht.
Du hast doch nichts gegen Italiener, Papa, oder?

VATER: Was sollte ich gegen Italiener haben?

SOHN: Was haben die Leute denn gegen die Italiener?

VATER: Die Leute sind eben der Meinung, daß Italiener und Türken und so weiter nicht viel taugen.

SOHN: Und was denkst du von den Italienern?

VATER: Nichts. Was soll ich denn schon von ihnen denken!

SOHN: Man müßte viel mehr für die Italiener tun, sagt Charly.

VATER: Dann sag du Charly mal, es genügt nicht, daß man so etwas sagt – besser ist, man hält den Mund und tut etwas für sie.

SOHN: Tust du denn etwas für die Italiener, Papa?

VATER: Ich kann nichts für sie tun, weil ich keine Italiener kenne. Außerdem sind Italiener nicht die einzigen Gastarbeiter in der Bundesrepublik! Ich hab mich neulich zum Beispiel sehr nett mit einem türkischen Ehepaar unterhalten.

SOHN: Und hast du auch was für die getan?

VATER: Ich kann doch nicht für jeden, den ich zufällig treffe, gleich was tun! Wie stellst du dir das denn vor? In gewisser Weise hab ich schon etwas für sie getan.

SOHN: Wie denn?

VATER: Ich habe sie wie Gäste behandelt.

SOHN: Wie denn?

VATER: Frag doch nicht so dumm! Wie behandelt man Gäste?

SOHN: Weiß ich nicht.

VATER: Gäste behandelt man höflich.

SOHN: Wie ist man denn, wenn man höflich ist?

VATER: Man vermeidet es, seine Überlegenheit zu zeigen, man benimmt sich taktvoll. Mir ist es zum Beispiel nicht in den Sinn gekommen, diesen Türken zu zeigen, daß ich mehr kann und weiß als sie.

SOHN: Weißt du denn mehr als die?

VATER: Natürlich weiß ich mehr als sie.

SOHN: Woher weißt du denn, daß du mehr weißt?

VATER: Weil ich als Beamter eine höhere Bildung besitze als türkische Fabrikarbeiter, das leuchtet vielleicht sogar dir ein.

SOHN: Wie ist das denn, eine höhere Bildung?

VATER: Na, wenn man sich zum Beispiel gewählt ausdrückt, wenn man gutes Deutsch spricht.

SOHN: Sprichst du auch besser Türkisch als die Türken, Papa?

VATER: Unsinn, ich spreche überhaupt nicht Türkisch.

SOHN: Dann sind die Türken ja vielleicht auch gebildet. Und du merkst das bloß nicht, weil du ja nicht Türkisch sprichst. Oder?

VATER: Nein, diese Türken waren nicht gebildet.

SOHN: Haben die dir das gesagt?

VATER: Das habe ich gesehen. Schluß jetzt!

(Pause)

SOHN: Du, Papa, Charly hat gesagt, zwischen einem Türken und einem Italiener, da merkt man manchmal gar keinen Unterschied.

VATER: Möglich. Ich hab noch nicht drauf geachtet.

SOHN: Merkt man zwischen einem Deutschen und einem Italiener auch keinen Unterschied?

VATER: Die Frage kannst du dir doch selbst beantworten. Seh ich etwa aus wie Vincenzo?

41

SOHN: Nö, du bist dicker.

VATER: Darum geht es ja gar nicht! Die Deutschen sind meistens groß und hellhäutig, die Italiener sind klein und dunkelhäutig.

SOHN: Vincenzo ist aber gar nicht klein.

VATER: Dann ist Vincenzo eben eine Ausnahme. Ich möchte zum Beispiel kein Italiener sein.

SOHN: Warum denn nicht? Wenn einer nicht so weiße Haut hat, das find ich aber viel schöner.

VATER: Auf das Aussehen kommt es ja überhaupt nicht an.

SOHN: Auf was denn? Du? Papa?

VATER: Auf das, was jemand darstellt.

SOHN: Was stellst du denn dar, Papa?

VATER: Solch eine blöde Frage beantworte ich nicht.

SOHN: Ich glaube, Mama findet Italiener auch viel schöner.

VATER: Mama? Mama würde sich schön bedanken, wenn sie mit einem Italiener verheiratet wäre.

SOHN: Warum denn?

VATER: Weil ein Italiener ihr nicht das alles bieten könnte, was ihr Leben jetzt so angenehm macht.

SOHN: Warum denn nicht?

VATER: Dir ist doch sicher schon aufgefallen, daß Mama besser angezogen ist als zum Beispiel Charlys Mutter und viele andere Frauen.

SOHN: Nö.

VATER: Sie ist aber besser angezogen. Deine Mutter ist eine gepflegte Frau.

SOHN: Wenn sie mit einem Italiener verheiratet wär, wär sie dann keine gepflegte Frau?

VATER: Wenn sie mit einem Italiener verheiratet wäre, könnte sie nicht so hübsche Kleider tragen und nicht jede Woche zum Friseur gehen.

SOHN: Warum denn nicht?

VATER: Weil das zu teuer wäre.

SOHN: Würde der Italiener denn nicht so viel Geld verdienen wie du?

VATER: Nein, er würde vermutlich nicht so viel Geld verdienen.

SOHN: Warum denn nicht?

VATER: Weil die Italiener nicht so fleißig sind wie die Deutschen.

SOHN: Warum sind die denn nicht so fleißig?

VATER: Das liegt an ihrer Mentalität, an ihrer geistigen Einstellung.

SOHN: Aber wenn die keine Lust zum Arbeiten hätten, dann würden die doch gar nicht herkommen, oder?

VATER: Sie kommen nicht, weil das Arbeiten ihnen Spaß macht, sondern weil sie Geld verdienen wollen, und das möglichst schnell und möglichst viel.

SOHN: Vincenzo hat gesagt, wenn alle Italiener auf einmal aufhörten, hier zu arbeiten, dann würden wir ganz schön in der Tinte sitzen. Stimmt das denn nicht?

VATER: Nein, so wie Vincenzo es sagt, stimmt es nicht.

SOHN: Charly hat gesagt, wir würden im Dreck umkommen, wenn wir die Gastarbeiter nicht hätten.

VATER: Früher hat hier auch ohne Gastarbeiter alles vortrefflich geklappt. Da hatten wir allerdings auch noch eine andere Regierung.

SOHN: Vincenzo hat gesagt, heutzutage will kein Deutscher mehr Dreckarbeit machen.

VATER: Dann muß man eben durch Fleiß so weit vorankommen, daß man es sich leisten kann, andere den Dreck wegschaffen zu lassen – damit muß Vincenzo sich eben abfinden.

SOHN: Aber wenn die Deutschen jetzt noch ihren ganzen Dreck allein wegmachen müßten, würde denen das mehr Spaß machen als den Italienern?

VATER: Weiß ich nicht.

Spaß macht so was nicht.

SOHN: Aber du hast doch vorhin gesagt, die Deutschen arbeiten lieber.

VATER: Das habe ich so nicht gesagt, nur sinnvolle Arbeit macht Spaß.

SOHN: Du, Papa, warum haben wir denn noch keinen Italiener?

VATER: Wir? Was sollen wir denn mit einem Italiener!

SOHN: Weil Mama doch sagt, sie wär nur dazu da, immer unseren Dreck wegzumachen.

VATER: Zu wem hat Mama das gesagt!

SOHN: Zu Vincenzo . . .

VATER: Mama zu Vincenzo . . .

SOHN: Und da hat Vincenzo gesagt, er würde gern den ganzen Dreck für Mama wegmachen, wenn Mama nur dabei zuguckt.

VATER: Wann hat Mama . . . Woher kennt Mama diesen Vincenzo denn?

SOHN: Von mir. Wir haben ihn mal auf der Straße getroffen, und da hat er zu Mama gesagt, er findet sie so schön, und er möchte mal eine neue Frisur an ihr ausprobieren. Weil er doch Friseur ist. Und da ist Mama mal hingegangen. Und sie hat zu mir gesagt, Vincenzo wäre der beste Friseur von der ganzen Welt. Und Sonntag . . .

VATER: Wie alt ist dieser Vincenzo eigentlich?

SOHN: Du, Papa, und Sonntag . . .

VATER: Ich hab dich was gefragt!

SOHN: Was denn?

VATER: Wie alt dieser Italiener ist.

SOHN: Weiß ich nicht . . .

VATER: Wo ist Mama?

SOHN: Die ist nicht da.

VATER *brüllt*: Das seh ich selbst. Ich will wissen, wo sie ist!!

SOHN: Die? Beim Friseur.

VATER: So. Beim Friseur. Und wieso erfahre ich das erst jetzt?

SOHN: Du hast doch gesagt, du hast nichts gegen Italiener.

VATER *brüllt noch lauter*: Ich hab auch nichts gegen Italiener!

O sole mio

Fremdwörter
Margarete Jehn

SOHN: Papa, Charly hat gesagt, sein Vater wäre gegen Fremdwörter.

VATER: So.

SOHN: Charlys Schwester, die redet jetzt immer so. Mit so vielen
Fremdwörtern. Und dann sagt Charlys Vater immer, sie soll
mal nicht so geschwollen daherreden.

Bist du auch gegen Fremdwörter?

Du? – Papa?

VATER: Ich? Warum sollte ich?

SOHN: Warum denn wohl Charlys Vater?

VATER: Was weiß ich. Wahrscheinlich, weil er sie nicht versteht.

SOHN: Dann ist es doch eigentlich richtig, wenn er dagegen ist.
Oder?

VATER: Weiß ich nicht. Aus seiner Sicht vielleicht.

SOHN: Du kennst doch alle Fremdwörter, nicht, Papa?

VATER: Naja – alle. Alle kenne ich auch nicht. Aber eben doch die
meisten, die wir in unsere Sprache integriert haben.

SOHN: Was haben wir mit denen gemacht?

VATER: Wir haben sie integriert. Das heißt, wir haben sie unserer
Sprache hinzugefügt. Sie gehören nun dazu.

SOHN: Warum heißen die denn noch Fremdwörter, wenn die zu unserer Sprache gehören?

VATER: Weil sie eben immer noch aus einer anderen Sprache stammen, einer anderen Kultur, aus der Geschichte eines fremden Volkes.

SOHN: Und wie sind die in unsere Sprache reingekommen?

VATER: Denk an Kriege und Besatzungszeiten! Wer hat denn nach deiner Meinung dafür gesorgt, daß so viele lateinische Wörter in unsere Sprache eindringen konnten?

SOHN: Ich kann mir schon denken, wer das war.

VATER: Na, wer war es denn?

SOHN: Wenn ich das sage, wirst du wütend.

VATER: Ich denke nicht daran, wütend zu werden, wenn du die richtige Antwort gibst. Also los!

SOHN: Na, zum Beispiel – Marcus Konfus und Julius Bazillus.

VATER: Du willst mich wohl auf den Arm nehmen!

SOHN: Hab ich doch gesagt, du wirst wütend.

VATER: Ich bin nicht wütend, ich bin traurig.
Tieftraurig bin ich, weil du nicht hältst, was du versprichst.

SOHN: Was hab ich denn versprochen?

VATER: Du hast mir hoch und heilig versprochen, du wolltest diese Asterix-Schmöker nicht mehr kaufen.

SOHN: Hab ich ja auch nicht mehr.

VATER: Erzähl mir doch nichts! Ich bin doch kein Depp. Dein Versprechen hast du vor vier Wochen abgegeben. Und wie kommt es dann, daß du mir hier Marcus Konfus und Julius Bazillus auftischst?
Damit verrätst du doch einwandfrei, daß du die Asterix-Ausgabe dieser Wochen gelesen hast, oder?

SOHN: Ich hab das Heft aber nicht gekauft.

VATER: Sondern?

SOHN: Bloß geliehen!

VATER: Du hältst dich wohl für raffiniert.

SOHN: Wie kommt es eigentlich, daß du die kennst?

VATER: Wen?

SOHN: Marcus Konfus und Julius Bazillus.

VATER: Du läßt deine Schmöker ja überall herumliegen.

SOHN: Liest du die auch?

VATER: Ich lese nicht, ich kontrolliere, womit du dich beschäftigst. Und jetzt wollen wir nicht weiter abschweifen.

SOHN: Aber meine Antwort war doch trotzdem richtig, nicht Papa?

VATER: Als ich dich fragte, durch wen lateinische Wörter in unsere Sprache gekommen sind, hätte deine Antwort schlicht lauten müssen: durch die Römer.

SOHN: Marcus Konfus und Julius Bazillus waren doch . . .

VATER: Würdest du mich jetzt bitte mit diesen beiden Typen in Ruhe lassen!!

SOHN: Hab ich doch gesagt, daß du wütend wirst.

VATER: Ich bin nicht wütend, ich bin aufgebracht. *Er beruhigt sich.* Hör mal zu – wenn du schon darauf bestehst, dich ständig nur auf der untersten Stufe der Abstraktionsleiter zu bewegen, dann hättest du in diesem Falle Römer nennen sollen, die wirklich Geschichte gemacht haben.

SOHN: Was heißt das denn, was du eben gesagt hast?

VATER: Was das heißt . . . Gibt es wirklich keine bekannteren Römer als Marcus Konfus und Julius Bazillus?

SOHN: Doch: Caius Spiritus.
Wieso – der war doch sogar Statthalter.

Der Vater resigniert.

Oder was meinst du, Papa. – Du! – Du hast gesagt, ich bin immer ganz unten auf so einer Leiter. Was ist das denn für eine Leiter?

VATER: Ich meinte damit nur, es wird langsam Zeit, daß du lernst zu abstrahieren.

SOHN: Was soll ich machen?

VATER: Ab-stra-hieren – verallgemeinern, etwas zu einem Begriff erheben.

SOHN: Begriff?

VATER: Du wirst doch wohl wissen, was ein Begriff ist.

SOHN: Nö.

VATER: Ein Begriff . . . Na, also – begreifen, womit hat das denn wohl etwas zu tun, mit welcher Tätigkeit?

SOHN: Mit anfassen.

VATER: Ja, ursprünglich wohl. Aber in diesem Fall heißt es verstehen. Wer im Gegensatz zu dir Grips im Kopf hat, der begreift schnell.

SOHN: Eigentlich Quatsch, nicht, wie kann einer was begreifen, wenn sein Hirn keine Hände hat.

VATER: Du willst mich wohl nicht verstehen!

SOHN: Warum erklärst du mir das denn auch nicht richtig.

VATER: Ich kann nicht leiden, wenn jemand dauernd das Thema wechselt. Bleib am Ball, ja! Wir sprechen über Fremdwörter. Da kannst du doch nicht plötzlich etymologisch werden.

SOHN: Was kann ich nicht werden?

VATER: Ach, Junge, Etymologie ist die Wissenschaft vom Ursprung der Sprache. Etymologisch heißt . . . heißt: worterklärend.

SOHN: Ich hab dir doch gar kein Wort erklärt. Ich wollte doch bloß, du sollst mir ein Wort erklären. Und dann bist du doch ety-mo-nologisch oder wie das heißt.

VATER: Jetzt hör auf mit deiner Wortfizzelei, ja!

SOHN: Wortfizzelei – ist das das deutsche Wort für dieses Mono-logie-Wort?

VATER: Etymologie. Ein Monolog ist etwas anderes.

SOHN: Was ist denn ein Monolog?

VATER: Das gehört jetzt nicht hierher.

SOHN: Also gut: Etymologie, heißt das Wortfizzelei?

VATER: Quatsch!

SOHN: Wie heißt denn das Fremdwort für Wortfizzelei?

VATER: Dafür gibt es kein Fremdwort.

SOHN: Warum denn nicht. Machen die Leute in anderen Ländern denn nicht solche Wortfizzeleien?

VATER: Weiß ich nicht.

SOHN: Du, Papa, wenn du nicht weißt, wie Wortfizzelei in einer andern Sprache heißt, dann ist dir das Wort, das die da für Wortfizzelei haben, doch eigentlich fremd, oder?

VATER: Möglich. Aber bitte – ich kann das Wort nicht mehr hören!

SOHN: Welches Wort. Wortfizzelei? Ich mein ja bloß, wenn man ein Wort nicht kennt, dann ist das doch eigentlich auch ein Fremdwort, oder? Warum antwortest du denn nicht.

VATER: Weil du lauter Blödsinn redest. Drück dich mal ein biß-chen präziser aus.

SOHN: Präziser?

VATER: Genauer.

SOHN: Warum sagst du denn präziser, wenn es genauer heißt.

VATER: Präziser heißt doch genauer.

SOHN: Aber wenn du gleich genauer sagst, versteht man das gleich.

VATER: Wenn ich präzise sage, versteht doch auch gleich jeder, was ich meine.

SOHN: Ich aber nicht.

VATER: Du bist ja auch noch ein Kind. Du wirst die Fremdwörter eben nach und nach lernen.

SOHN: Charlys Vater ist aber kein Kind. Und der versteht die auch nicht.

VATER: Charlys Vater ist auch nicht auf die Oberschule gegangen. Aber du wirst auf die Oberschule gehen.

SOHN: Werd ich nicht.

VATER: O doch, das wirst du!

SOHN: Werd ich nicht, weil jetzt nämlich alle in die Orientierungsstufe kommen. Und nach zwei Jahren kommt dann die Sekundarstufe I, sagt Herr Schaller.

VATER: So, weiß ich nicht, Mama war ja da. Ist ja auch egal, wie das heißt. Du wirst jedenfalls immer da sein, wo man am meisten lernt; eben auch Fremdwörter.

SOHN: Und die anderen?

VATER: Welche anderen?

SOHN: Die nicht immer da sind, wo man am meisten lernt.

VATER: Es wird immer mehr ungebildete als gebildete Leute geben.

SOHN: Wie kommt das denn?

VATER: Herrgott, wie kommt das!

SOHN: Herr Schaller sagt immer, in einer Demokratie, da müssen sich die wenigen immer nach den vielen richten. Wenn jetzt nicht alle die Fremdwörtersprache lernen können – die Studenten und so Leute wie du und so, die müssen sich dann doch eigentlich nach den anderen Leuten richten, die müssen doch eigentlich so reden wie die meisten, damit alle alles verstehen.

VATER: Das ist doch purer Unsinn, was du da erzählst. Du kannst doch nicht verlangen, daß ich mich ausdrücke wie einer von der Müllabfuhr.

SOHN: Wenn der von der Müllabfuhr die Fremdwörtersprache aber nun mal nicht kann?

VATER: Dann hat er erstens selbst schuld, und zweitens kann ich ja noch immer so reden, daß er mich versteht.

SOHN: Wie redest du denn mit einem Müllmann?

VATER: Wie ich mit ihm rede . . . darauf kommt es doch jetzt gar nicht an.

SOHN: Weil du das nämlich gar nicht kannst.

VATER: Was?

SOHN: So reden wie ein Müllmann.

VATER: Na hör mal! Ich will es vielleicht nicht, aber von nicht können kann gar nicht die Rede sein.

SOHN: Charlys Vater sagt aber, die Studenten, die wären ganz toll interessiert daran, wie die Arbeiter leben und so. Und die wollen immer mit denen reden. Aber die Arbeiter, die verstehen überhaupt nicht, was die meinen. Und die Studenten, die können gar nicht mehr anders reden, nur so mit Fremdwörtern und so mit frisierter Schnauze, sagt Charlys Vater. Und dann wollen die Arbeiter gar nichts mehr mit denen zu tun haben.

VATER: Und das ist ein Glück.

SOHN: Wieso?

VATER: Wenn die Arbeiter sich von dem beeinflussen ließen, was diese linken Radaubrüder ihnen einflüstern möchten – das könnte heiter werden.

SOHN: Heiter ist doch, wenn man sich freut, oder? Papa? Wieso kann das denn heiter werden?

VATER: Weil's eben ganz und gar nicht heiter wär, darum.

SOHN: Und warum wäre das nicht heiter?

VATER: Weil dann alle Leute sich einbilden würden, sie könnten überall mitreden.

SOHN: Ist das denn nicht gut?

VATER: Nein, das ist nicht gut. Dann würde vor lauter Mitreden keiner mehr zum Arbeiten kommen.

SOHN: Und deshalb lernen auch nicht alle Kinder in der Schule die Fremdwörtersprache. Bloß ein paar, nicht. Wer hat sich das eigentlich ausgedacht. Du? Papa?

VATER: Das hat sich niemand ausgedacht. Das hat sich so ergeben.

SOHN: Ich möchte aber mal mit allen reden können. Nicht immer bloß mit den feinen Pinkeln, das sagt Charly auch.

VATER: Begreif doch endlich, daß man als gebildeter Mensch mit allen Leuten reden kann!

SOHN: Aber die können dann nicht mit mir. Oder?

VATER: Natürlich können sie!
Das gibt es doch gar nicht, daß Menschen, die ein gemeinsames Vaterland haben, sich überhaupt nicht mehr verstehen.

SOHN: Aber die Arbeiter und die Studenten . . .

VATER: Nun hör mir doch endlich mit den Arbeitern und Studenten auf!

SOHN: Warum denn!

VATER: Weil . . . weil es ein schlechtes Beispiel ist.
Es hat geklingelt. Das ist wohl für dich. Bist du mit jemand verabredet?

SOHN: Ja.

VATER: Mit wem denn?

SOHN: Charlewallyllewy.

VATER: Mit wem?

SOHN: Millewit Charlewallyllewy. Wirlewir wollewollellewen zullewum Bollewolzplallewatz.

VATER: Antworte gefälligst anständig, wenn man dich fragt.

SOHN: Wieso. Verstehst du das denn nicht? Wir haben doch ein gemeinsames Vaterland. Oder?
Tschüllewüß!!!

Die Armen
Eugen Helmlé

Vater und Sohn im Garten.

SOHN: Papa, Charly hat gesagt, sein Vater hat gesagt, Armut gibt's auch heute noch bei uns, wie eh und je.

VATER: So? Hat er das gesagt?

Der Vater ist gerade dabei, mit einem Rasenmäher das Gras zu schneiden.

SOHN: Warum gibt's denn bei uns Armut, Papa?

VATER: Was Charlys Vater da verzapft, ist ausgemachter Quatsch. Armut in diesem Sinne gibt's bei uns schon lange nicht mehr.

SOHN: In welchem Sinne?

VATER: In diesem Sinne, so sagt man halt, das ist eine Redensart. Wenn ich sage, in diesem Sinne, dann meine ich damit, daß es keine richtige Armut mehr gibt.

SOHN: Gibt es denn eine falsche Armut?

VATER: Blödsinn! Was meinst du mit falscher Armut?

SOHN: Ist doch sonnenklar! Wenn es keine richtige gibt, muß es eine falsche geben, weil Charlys Vater gesagt hat, daß es bei uns immer noch Armut gibt. Ist doch logisch.

VATER: Das ist eben nicht logisch.

SOHN: Wieso?

VATER: Weil es eine falsche Armut gar nicht geben kann, denn eine falsche Armut wäre ja keine Armut. Kapiert?

SOHN: Und was gibt es bei uns nicht?

VATER: Was?

SOHN: Keine Armut?

VATER: Nein, das hab ich dir gerade gesagt. Du, hör mal, trampel mir nicht ständig das Gras nieder, du siehst doch, daß dann die Messer vom Rasenmäher nicht mehr greifen. Kannst du nicht dort herumlaufen, wo das Gras schon gemäht ist?

SOHN: Wenn's unbedingt sein muß. Aber wenn's keine falsche Armut gibt, warum hast du dann zuerst gesagt, es gibt auch keine richtige? Das ist doch nicht logisch.

VATER: Deine Logik beziehst du wohl auch von Charly?

SOHN: Logisch!

VATER: Du bist ein richtiger Witzbold!

SOHN: Kein falscher!

VATER: Nun werd mir aber bloß nicht grün.

SOHN: Ich bin doch kein Gras.

Du, Papa, du hast mir immer noch nicht gesagt, warum es keine richtige und keine falsche Armut gibt.

VATER: Ganz einfach. Weil es hierzulande überhaupt keine Armut mehr gibt, ich meine, was man gemeinhin so unter Armut versteht.

SOHN: Und was versteht man gemeinhin unter Armut?

VATER: Armut, wie soll ich dir das erklären, Armut, das ist ein gesellschaftliches Phänomen von äußerster Komplexheit.

SOHN: Ach so. Und was heißt das genau?

VATER: Das heißt, daß der als arm gilt, der seinen notwendigen

Lebensunterhalt, gemessen an einem gesellschaftlichen Mindestbedarf, nicht aus eigenen Mitteln, sondern nur mit fremder Hilfe bestreiten kann. Verstehst du?

SOHN: Nein.

VATER: Dabei ist es doch ganz einfach.
Wer nicht selbst für sich sorgen kann und für seinen Lebensunterhalt, das Wort verstehst du doch?

SOHN: Klar!

VATER: Also, wer für seinen Lebensunterhalt auf fremde Hilfe angewiesen ist, der ist arm.

SOHN: Dann hat Charlys Vater doch recht.

VATER: Wieso denn? Hab ich dir nicht gerade das Gegenteil bewiesen?

SOHN: Hast du wohl nicht. Du hast selber gesagt, daß man arm ist, wenn man für seinen Lebensunterhalt fremde Hilfe braucht. Wie ich.

VATER: Du bist albern. Das ist doch nicht dasselbe.

SOHN: Wieso denn nicht? Ich bin auf eure Hilfe angewiesen, und darum bin ich arm, und darum gibt es bei uns auch noch Armut. Ist doch klar.

VATER: Ein armer Irrer bist du, das ist deine ganze Armut. Und überhaupt, du hast doch den wenigsten Grund dich zu beklagen, bei dem Taschengeld, das du wöchentlich bekommst.

SOHN: Mensch, die zehn Mark in der Woche, das ist doch nicht viel.

VATER: Du, hör mal zu, ich bin nicht dein Mensch, ich glaube, das habe ich dir schon einmal gesagt.

SOHN: Weiß ich.

VATER: Also. Na, was bekommt denn Charly so?

SOHN: Weiß ich nicht.

VATER: Meinst du, er bekommt mehr als du?

SOHN: Keine Ahnung, wahrscheinlich nicht. Es gibt eben immer noch Armut bei uns.

Der Vater müht sich weiter mit dem alten Rasenmäher ab und gerät ganz schön ins Schwitzen.

Sag mal, Papa, warum mähst du den Rasen eigentlich mit diesem altmodischen Ding? Kauf dir doch einen Motorrasenmäher oder einen Elektromäher.

VATER: Kaufen, kaufen. Haben wir es vielleicht mit Millionen zu tun? Unser Handrasenmäher tut's noch eine Weile.

SOHN: Haben wir nicht genug Geld, um uns einen anderen zu kaufen?

VATER: Nein.

SOHN: Sind wir dann auch arm?

VATER: Nein, verdammt noch mal! Du kannst einem wirklich den letzten Nerv holen mit deiner ewigen Fragerei.

SOHN: Aufgeweckte Kinder fragen halt viel, meint Charly auch.

VATER: Ach so. Und ihr seid natürlich beide aufgeweckt, wie?

SOHN: Und ob!

VATER: Du hör mal, wenn du so aufgeweckt bist, könntest du mal das Gras ein bißchen zusammenrechen. Was meinst du zu diesem Vorschlag?

SOHN: Wenn es unbedingt sein muß! Aber du hast auch schon bessere Ideen gehabt.

VATER: Du kriegst gleich eine gescheuert.

SOHN: Immer diese Drohung mit der rohen Gewalt!

Beide arbeiten. Der Vater hastig und angestrengt, der Junge gelangweilt. Man merkt, er ist mit den Gedanken nicht bei der Sache.

Du, Papa, warum sagt denn Charlys Vater, daß es bei uns noch Armut gibt, wenn es in Wirklichkeit gar keine mehr gibt?

VATER: Weil Charlys Vater das gern hätte. Es würde nämlich genau in sein Konzept von den sozialen Ungerechtigkeiten, von den Klassenunterschieden und so weiter hineinpassen.

SOHN: Klassenunterschiede gibt es bei uns in der Schule auch. Da gibt's Erstkläßler, Zweitkläßler, Drittkläßler . . .

VATER: Ja, ja, aber das ist nicht dasselbe. Ein Mehrklassensystem, das wäre natürlich Wasser auf Charlys Vaters Mühlen. Aber das gibt's bei uns nicht mehr. Das muß man doch einsehen.

SOHN: Charlys Vater hat keine Mühlen. Der ist Arbeiter, aber in keiner Mühle, glaub ich.

VATER: Wenn ich sage Wasser auf seine Mühle, so ist das nur so eine Redensart, die man nicht wörtlich nehmen darf.

SOHN: Dann ist es vielleicht auch nur eine Redensart, wenn du sagst, daß es bei uns keine Armut mehr gibt?
Oder sind alle Leute in Deutschland reich?

VATER: Nein, natürlich nicht, aber man muß doch nicht unbedingt arm sein, wenn man nicht reich ist. In unterentwickelten Ländern mag das vielleicht zutreffen, wo's keinen Mittelstand gibt.

SOHN: Was ist denn ein Mittelstand?

VATER: Das ist die Klasse, die zwischen der Unterschicht und der Oberschicht steht.

SOHN: Eine Mittelklasse meinst du?

VATER: Ja.

SOHN: Dann gibt es also doch mehrere Klassen?

VATER: Schon, aber da gibt es ja kaum noch Unterschiede dazwischen, das heißt, die Unterschiede sind so gering, daß man kaum noch von Klassen im eigentlichen Sinne sprechen kann.

SOHN: Ist das auch eine Redensart, wie bei der Armut? Und warum gibt es die nicht mehr bei uns, wo Charlys Papa sagt, es gibt sie doch?

VATER: Armut, ich meine ausgesprochene Armut, die gibt es
genau wie die Klassen schon deshalb nicht mehr bei uns, weil
wir heute in einem regelrechten «Wohlfahrtsstaat» leben.

SOHN: Was ist denn ein Wohlfahrtsstaat?

VATER: Wie soll ich dir das erklären? Also, einen Wohlfahrtsstaat
haben wir dann, wenn den Leuten, also den Bürgern dieses
Staates, für alle erdenklichen Notlagen gesetzlich «soziale Sicherheit» gewährt wird. Mit anderen Worten, jeder hat einen
Anspruch darauf, daß ihm der Staat hilft, wenn's ihm schlecht-
geht, verstehst du?

SOHN: Und das ist schlecht?

VATER: Nicht an und für sich. Aber wenn der einzelne ohne
Rücksicht auf sein Einkommen und ohne besonderen Nachweis
seiner Bedürftigkeit mit bestimmten Mindestleistungen ver-
sorgt wird, dann ist eben etwas faul in diesem Staat, weil die
Eigeninitiative untergraben wird.

SOHN: Und warum graben die Faulen im Staate die Eigeninitiative
um? Was ist das denn, eine Eigeninitiative?

VATER: Eigeninitiative, ja siehst du, das ist, wenn jemand aus
eigener Entschlußkraft was tut, dann ist das Eigeninitiative,
klar? Und die wird natürlich nicht umgegraben, sondern untergraben, das heißt langsam zerstört. Zum Schluß will sich keiner
mehr anstrengen, will sich nur noch vom Staat versorgen lassen, sich auf Kosten der Allgemeinheit bereichern. Ist ja auch
bequemer.

SOHN: Du, Papa, gehören Sozialwohnungen auch dazu?

VATER: Wozu?

SOHN: Zum Wohlfahrtsstaat.

VATER: Ja, die gehören auch dazu.

SOHN: Warum gibt es die eigentlich, die Sozialwohnungen?

VATER: Die gibt es, damit auch Leute mit einem geringeren Einkommen in einer anständigen Wohnung wohnen können.

SOHN: Sind Leute mit geringerem Einkommen arme Leute?

VATER: Arm, arm, man kann da nicht direkt von arm reden. Es handelt sich hier um den finanziell schwächeren Teil der Bevölkerung, und für diesen Kreis werden Wohnungen bereitgestellt, die mit öffentlichen Mitteln gebaut werden, und für die billige Mieten gezahlt werden.

SOHN: Und da dürfen nur Arme drin wohnen?

VATER: Wie oft soll ich dir das noch sagen, das sind keine Armen, die da drin wohnen, sondern Leute, die eben nicht mehr als soundso viel verdienen.

SOHN: Und wenn die mal mehr verdienen als soundso viel?

VATER: Na ja, dann verdienen sie halt mehr, reich werden sie davon ja auch nicht.

SOHN: Weil sie arm sind?

VATER: Nein. Halt so.

SOHN: Du, Papa, wir haben doch auch eine Sozialwohnung. Hat Mama neulich gesagt.

VATER: Ja.

SOHN: Gehören wir dann auch zum finanziell schwächeren Teil der Bevölkerung?

VATER: Ach was!

SOHN: Weil du mehr als soundso viel verdienst?

VATER: Ja.

SOHN: Warum ziehen wir dann nicht in eine andere Wohnung?

VATER: Wir sitzen im Augenblick ganz gut.

SOHN: Und die Leute, die weniger verdienen und die keine billigen Wohnungen finden, was machen die?

VATER: Die müssen eben warten.

SOHN: Bis wann?

VATER: Bis wir ausziehen.

SOHN: Und warum ziehen wir nicht aus? Du hast doch selbst gesagt, daß wir mehr verdienen als soundso viel?

VATER: Weil wir schön dumm wären, wenn wir eine so billige Wohnung so ohne weiteres aufgeben würden. Andere tun das ja auch nicht.

SOHN: Du, Papa, bereichern wir uns dann auch auf Kosten der Allgemeinheit?

Reiten, ein Volkssport

Margarete Jehn

SOHN: Papa, Charly hat gesagt, Reiten wär 'ne dufte Sache. Er ist bei der Reitschule angemeldet.

VATER: Charly? Wie ist er denn auf die Idee gekommen?

SOHN: Findest du die Idee nicht gut? Du? Papa?

VATER: Daß ausgerechnet Charly das Glück dieser Erde auf dem Rücken der Pferde sucht! Lange wird dieses Glück für ihn nicht dauern.

SOHN: Warum denn nicht?

VATER: Reiten ist nicht nur eine «dufte», sondern auch eine teure Angelegenheit.

SOHN: Wieso, wenn Charlys Vater alles bezahlt.

VATER: So. Sag mal, stimmt was nicht mit Charly?

SOHN: Was?

VATER: Ist Charly krank?

SOHN: Krank? Charly ist doch nicht krank, wieso das denn?

VATER: Ich dachte, sein Vater hätte ihn vielleicht mehr aus . . . aus therapeutischen Gründen in der Reitschule angemeldet.

SOHN: Aus was für Gründen?

VATER: Aus therapeutischen Gründen!

SOHN: Therapeutischen?

VATER: Damit er geheilt wird. Man hat vor einiger Zeit herausbe-
kommen, daß das Reiten gut ist für Kinder, die . . . die ein
bißchen gestört sind, die irgendwie behindert sind. Der Umgang
mit dem Pferd steigert das Selbstvertrauen.

SOHN: Charly geht da aber bloß hin, weil es ihm Spaß macht.
Reiten soll ein Volkssport werden, sagt Charlys Vater.

VATER: So. Wenn er sich da man nicht täuscht. Das Volk spielt
doch allemal noch am liebsten Fußball. Und dabei sollte es nach
meiner Meinung auch bleiben.

SOHN: Meinst du, die Leute sollen lieber nicht reiten gehen?

VATER: Bitte, sollen sie! Wenn die «Charlys» bereits die Gymnasi-
en bevölkern, wird es sich nicht vermeiden lassen, daß sie nach
und nach auch in die Reitschulen sickern.

SOHN: Wer ist das denn, die «Charlys»? Charly ist doch nur einer.

VATER: Herrgott, ich meine die Leute! Das Volk!

SOHN: Und was macht das Volk, wenn es sickert?

VATER: Ich meine damit, daß es sich nach und nach unter die Leute
mischt, die für gewöhnlich reiten.

SOHN: Sind die denn nicht das Volk?

VATER: Natürlich gehören sie zum Volk. Aber nicht in dem Sinne.
Wenn ich sage Volk, dann meine ich das gemeine Volk!

SOHN: Wieso ist Charly denn gemein?

VATER: Hör mal, du weißt doch wohl, was das bedeutet, das
«gemeine Volk»! Gemein . . . Gemein heißt in diesem Falle
nicht gemein.

SOHN: Wie denn?

VATER: Wenn wir zum Beispiel von der «gemeinen Hundeblume»
reden, dann meinen wir damit nicht, daß die Hundeblume sich
gemein aufführt, sondern daß sie die allgemeine, die allen
bekannte Hundeblume ist.

Und das gemeine Volk, das sind eben die Leute, die nicht durch irgendwelche Eigenheiten auffallen, die Leute, deren Sitten und Gebräuche man im allgemeinen kennt.

SOHN: Kennt man die Sitten und Gebräuche von den reichen Leuten denn nicht so?

VATER: Die reichen Leute – das heißt, sie müssen nicht immer reich sein, sie können auch nur gebildet sein, diese Leute sind meistens Individualisten. Sie gestalten ihr Leben so, wie sie es für richtig halten.

SOHN: Machen die gemeinen Leute das denn nicht?

VATER: Das gemeine Volk ist dazu nicht imstande. Das gemeine Volk bildet die Masse. Und in der Masse richtet sich einer nach dem anderen.

SOHN: Was ist denn eigentlich besser, wenn einer so wird wie die anderen Leute alle, oder wenn einer nicht alles genauso macht wie die anderen?

VATER: Es ist schon besser, ein Individualist zu sein.

SOHN: Und was muß man machen, damit man so einer wird? Papa? Du?

VATER: Wenn man ein Individualist werden will, muß man sich von der Masse trennen.

SOHN: Und wie macht man das?

VATER: Man unterscheidet sich durch seine Art zu leben irgendwie von den anderen Menschen.

SOHN: Kann man das nur, wenn man reitet?

VATER: Natürlich nicht.

SOHN: Was kann man denn noch machen?

VATER: Na – man kann zum Beispiel Hausmusik machen oder . . . ähnliches.

SOHN: Wird Charly jetzt auch so einer?

VATER: Ein Individualist? Aus Charly wird nie ein Individualist.

SOHN: Warum denn nicht?

VATER: Mit dem Reiten allein ist es eben nicht getan.

SOHN: Aber was wird Charly denn, wenn er jetzt da hingeht?

VATER: Charly? Charly bleibt hoffentlich, was er immer gewesen ist: ein frischer Junge, der später sicher mal ein tüchtiger Handwerker werden wird.

Du sollst sehen – in ein paar Wochen hat Charly die Nase voll vom Reiten.

SOHN: Wenn er aber doch sagt, es macht ihm Spaß?

VATER: Der Spaß wird bald aufhören, wenn er merkt, daß er keine Freunde findet. Sag du Charly man, er soll in einen Fußballklub gehen. Da ist er viel besser aufgehoben.

SOHN: Warum willst du denn eigentlich nicht, daß Charly reiten soll? Warum sagst du immer, Charly soll lieber Fußball spielen?

Und warum siehst du dabei denn immer so wütend aus?

VATER: Wieso seh ich denn wütend aus! Rede doch keinen Blödsinn! Ich bin überhaupt nicht wütend!

Mich ärgert nur, daß Charlys Vater sich so aufspielt. Anstatt den Jungen einen anständigen Beruf lernen zu lassen, läßt er ihn seine Zeit auf diese Art vertrödeln.

SOHN: Aber wenn Charly Fußball spielt, dann muß er doch auch immer trainieren.

VATER: Wenn Charly Fußball spielt, hat er wenigstens Aussichten, ein guter Spieler zu werden.

SOHN: Und wenn Charly reitet?

VATER: O-Beine allein machen noch keinen Reiter. Wenn Charly reitet, lernt er vielleicht, sich schlecht und recht auf einem Pferd zu halten. Aber ein guter Reiter wird er nie.

SOHN: Warum denn nicht?

VATER: Weil er nicht das Zeug dazu hat. Ein Reiter sollte intelligent sein.

SOHN: Charly ist doch intelligent. Sonst käme er doch nicht aufs Gymnasium.

VATER: Aufs Gymnasium geht heutzutage einiges. Wer ein guter Reiter werden will, muß ein feines Gefühl und einen feinen philosophischen Verstand haben und trotzdem hart genug sein, sein Pferd zum Gehorsam zu zwingen. Und das alles erwirbt man eben nicht in einem Elternhaus, wie Charly es hat.

SOHN: Du, Papa – woher weißt du das denn eigentlich alles?

VATER: Was?

SOHN: Was man alles so braucht, wenn man ein richtiger Reiter werden will und so ein Individualist.

VATER: Ich weiß es eben.

SOHN: Woher denn, du?

VATER: Es genügt doch, daß ich es weiß!

SOHN: Du sagst das bloß alles, weil du Charly nicht ausstehn kannst!

VATER: Schlag mir gegenüber bitte einen anderen Ton an, ja! Ich sage das nicht «bloß so», sondern weil ich Bescheid weiß.

SOHN: Woher weißt du denn Bescheid? Du bist doch nie ein Reiter gewesen!

VATER: Du wirst staunen – ich war doch einer.

SOHN: Bist du denn auch mal zur Reitschule gegangen?

VATER: Ja, ich bin auch mal zur Reitschule gegangen!

SOHN: Warst du da krank?

VATER: Krank? Wieso soll ich denn krank gewesen sein?

SOHN: Na, ich meine, du bist da vielleicht aus so komischen Gründen hingegangen – du hast doch vorhin gesagt, man kriegt dann mehr Selbstvertrauen oder so.

VATER: Du hast ja eine schöne Meinung von deinem Vater!

SOHN: Warum reitest du denn jetzt eigentlich nicht mehr?

VATER: Weil ich keine Zeit habe und weil mir das Geld zu schade ist, darum! Und damit ist dieses Thema abgeschlossen. Ich möchte nicht mehr darüber reden!

SOHN: Soll ich Charly denn jetzt sagen, er soll lieber nicht zum Reiten gehn?

VATER: Ja, von mir aus.

SOHN: Weil du auch mal versucht hast, so ein Individualist zu werden und bei dir auch nichts draus geworden ist?

VATER: Ja – Neeiin!

Die Pille
Margarete Jehn

SOHN: Papa, Charly hat gesagt . . .
  Warum guckst du denn so?
VATER: Wie guck ich denn?
SOHN: So komisch.
VATER: Quatsch. Also – was hat Charly gesagt. Aber beeil dich,
  gleich fängt die Sportschau an.
SOHN: Charly hat gesagt, seine Schwester darf in den Ferien ganz
  allein mit ihrem Freund wegfahren . . .
VATER: So, wie alt ist Charlys Schwester denn?
SOHN: Fünfzehn, glaub ich.
VATER: Kann ich mir nicht vorstellen, daß Charlys Vater so was
  erlaubt.
SOHN: Was erlaubt?
  Du, Papa, was so was?
VATER: Herrgott, frag doch nicht so dämlich! Daß der seine fünf-
  zehnjährige Tochter allein mit ihrem Freund wegfahren läßt,
  das kann ich mir nicht denken.
SOHN: Wieso, wenn die mit ihrem Freund wegfährt, ist das doch
  viel besser. Ich hätte auch Angst, allein im Zelt zu schlafen.
  Aber wenn es zwei sind!

VATER: So, Charlys Schwester wird mit ihrem Freund im Zelt schlafen.

SOHN: Nicht bloß schlafen.

VATER *murmelt vor sich hin*: Anzeigen müßte man das.

SOHN: Meinst du, man sollte das der Polizei erzählen? Warum soll denn die Polizei das wissen, daß Charlys Schwester mit ihrem Freund in einem Zelt wohnt?

VATER: Warum? Weil so was verboten ist.

SOHN: Wieso gibt es denn dann ein Zweimannzelt, wenn man nicht mal mit zwei Mann drin wohnen darf.

VATER: Wer sagt denn das! Natürlich darf man mit zwei Mann in einem Zweimannzelt schlafen, äh wohnen. Nur müssen es zwei Jungen sein oder zwei Mädchen oder ein Ehepaar, oder zwei Verlobte, wenn's hochkommt.

SOHN: Wenn was hochkommt?

VATER: Herrgott! Das sagt man so – wenn's hochkommt. Das ist 'ne Redensart.

SOHN: Warum dürfen denn nicht ein Junge und ein Mädchen im Zelt wohnen?

VATER: Komm, frag nicht soviel!

SOHN: Sag doch mal!

VATER: Es hat doch gar keinen Sinn, wenn ich dir das erkläre. Das verstehst du einfach noch nicht. Das hat was mit Verantwortung zu tun.

SOHN: Ach so.

Du, Papa.

VATER: Hm.

SOHN: Was ist Verantwortung?

VATER: Ich trage zum Beispiel die Verantwortung für die ganze Familie; das heißt, wenn ihr Blödsinn macht, muß ich dafür geradestehen.

SOHN: Machst du denn keinen Blödsinn, ich meine, hast du bloß die Verantwortung für uns und für dich überhaupt keine?

VATER: Für sich selbst trägt man die Verantwortung sowieso.

SOHN: Charlys Schwester und ihr Freund – was tun die denn im Zelt?

Können die nicht selber die Verantwortung für sich tragen?

VATER: Dazu sind sie noch zu jung.

SOHN: Der Freund von Charlys Schwester ist gar nicht mehr jung. Der ist schon achtzehn.

VATER: Aha!

SOHN: Was – aha!

VATER: Aha! Weiter nichts.

SOHN: Wer übernimmt denn jetzt die Verantwortung für die beiden, wenn die das nicht selber können?

VATER: Im allgemeinen die Eltern.

SOHN: Und wenn die gar nichts wissen?

VATER: Charlys Eltern wissen also gar nichts von diesem Zelturlaub.

Na ja, überraschen tut's mich nicht.

Man muß sich eben auch mit seinen Kindern beschäftigen, wenn man über sie Bescheid wissen will.

SOHN: Das meiste wissen sie ja. Charlys Schwester hat bloß gesagt, sie fährt mit 'ner Freundin weg.

VATER: So.

SOHN: Was können die denn schon Schlimmes machen in ihrem Zelt. Meinst du, die machen was kaputt?

Papa?

VATER: Quatsch!

SOHN: Oder meinst du, die machen vielleicht Feuer?

VATER: Unsinn! *Er wird nun sehr ernst.* Komm mal her.

Komm her, hab ich gesagt.

SOHN: Ich?

VATER: Ja, du. So, setz dich da mal hin.

Also: Du weißt, Kinder fallen nicht vom Himmel.

SOHN: Weiß ich. Haben wir schon im zweiten Schuljahr gehabt. Was hat das denn mit dem Zelt zu tun?

VATER: Na, wenn ihr das alles schon gehabt habt, dann kannst du dir doch denken, was es damit zu tun hat.

SOHN: Nö.

VATER: Also – wenn ein Junge und ein Mädchen bei Tag und Nacht in einem Zelt zusammen sind – dann kann es schon mal passieren, daß . . . äh, daß . . .

SOHN: Daß die 'n Kind machen?

VATER: Daß du mir diesen Ausdruck nicht noch mal in den Mund nimmst!

SOHN: Ich weiß aber nicht, was man sonst dafür sagen kann.

VATER: Du hast überhaupt noch nicht über so was zu reden, verstanden?

SOHN: Aber wenn wir es doch in der Schule lernen?

VATER: Ist mir egal, ob ihr es in der Schule lernt oder nicht.

Also – wenn ein Junge und ein Mädchen in einem Zelt zusammen leben, dann passiert es mit Sicherheit . . .

SOHN: Charlys Schwester nimmt doch die Pille.

VATER: Was weißt du denn schon von der Pille!

SOHN: Wenn ein Mädchen die Pille nimmt, dann kriegt es kein Kind.

VATER: Habt ihr das auch schon im zweiten Schuljahr gehabt?

SOHN: Nö, das hat Charly gesagt.

Die Pille schmeckt nach nichts.

VATER: So – hat Charlys Schwester dir das erzählt?

SOHN: Nö, wir haben schon mal eine probiert, Charly und ich.

VATER: Sag mal, ihr seid wohl wahnsinnig! Weiß Mama das?

SOHN: Nö, warum denn.

VATER: Die Ärzte, die einem fünfzehnjährigen Mädchen schon die Pille verschreiben – einsperren sollte man die.

SOHN: Warum denn? Soll das Mädchen lieber ein Kind kriegen?

VATER: Quatsch. Es soll eben nicht allein mit einem Jungen in die Ferien fahren.

SOHN: Warum denn nicht?

VATER: Warum nicht! Sag mal, hörst du eigentlich zu? Weil solche Gören einfach noch zu jung sind und zu dumm für . . .

SOHN: Für was?

VATER: Na – eben für die Liebe.

SOHN: Wann ist man denn alt genug für die Liebe?

VATER: Wenn man bereit ist, die Verantwortung für sich und das Mädchen zu tragen, dann ist man alt genug. Auf jeden Fall muß man als Mann schon einen richtigen Beruf haben, wenn man sich mit einem Mädchen einläßt.

SOHN: Warum das denn?

VATER: Damit man das Mädchen dann auch heiraten kann, wenn was passiert.

SOHN: Wenn was passiert?

VATER: Na, wenn das Mädchen zum Beispiel ein Kind kriegt.

SOHN: Aber es kann doch die Pille . . .

VATER: Also, jetzt hältst du den Mund! Ich will von der Pille nichts mehr hören, verstehst du, kein Wort mehr!
Es gehört eben mehr dazu als nur die Pille. Man braucht eine Wohnung und ein festes Einkommen, wenn man heiraten will.

SOHN: Man muß ja nicht gleich heiraten.

VATER: So – man soll also ein Mädchen . . . Ach, was reg ich mich auf! Du weißt es eben noch nicht besser.

SOHN: Dann sag mir's doch.

VATER: Im Augenblick sage ich nichts mehr. Gar nichts. Nicht jetzt.

Jetzt will ich mir nämlich die Sportschau ansehen.

Schaltet den Apparat ein.

SOHN: Ist ja noch gar nicht soweit.

Als du Mama kennengelernt hast, hattest du da schon eine Wohnung?

VATER: Als ich deine Mutter kennenlernte, hab ich noch studiert. Da hatte ich nur ein Zimmer. Und deine Mutter durfte mich nicht mal besuchen. Das erlaubte meine Zimmerwirtin nicht. Wir konnten uns nur auf der Straße treffen, oder höchstens mal zusammen in eine Gastwirtschaft oder in ein Kino gehen.

So – jetzt fängt's an. Jetzt mach aber, daß du rauskommst. Ich will nicht mehr gestört werden. Wird's bald!

SOHN: Ich wollte aber noch was fragen.

VATER: Was denn nun noch . . .

SOHN: Wo habt ihr denn euer erstes Kind gemacht, Mama und du. Im Kino?

VATER: Das ist doch . . .

Die Ohrfeige sitzt.

Fragt man so etwas seine Eltern?

SOHN: Wieso – man kann doch mal fragen! Meinst du, ich weiß nicht, daß meine Schwester ein Viermonatskind ist!

VATER: Rrraus!!

SOHN *verschwindet und brüllt durch die geschlossene Tür*: Wir haben das genau nachgerechnet, Charly und ich!!

«*Toor!*» *tönt es aus dem Fernsehgerät.*

Emanzipation
Ingeburg Kanstein

Vater schlägt einen Nagel in die Wand.

SOHN: Papa! Charly hat gesagt, seine Mutter hat gesagt . . .

VATER: Ach, sieh mal an, hat die auch mal was zu sagen?

SOHN: Wieso?

VATER: Na, bisher habe ich dich noch nie von der Mutter deines Freundes reden hören.

SOHN: Na ja, ich sehe sie ja auch nicht oft. Sie ist ja immer in der Küche beschäftigt. Wie Mama.

VATER: Das ist auch der beste Platz für eine Frau.

SOHN: Aber Charly hat gesagt, seine Mutter hat gesagt, daß sie genug davon hat.
Und daß es Zeit wird, daß die Frauen den Männern einmal zeigen, daß sie auch ihren Mann stehen können!
Papa, was meint sie damit?

VATER: Womit?

SOHN: Na, daß Frauen ihren Mann stehen sollen – wenn sie doch Frauen sind?

VATER: Wahrscheinlich hat sie was von Emanzipation gehört.

SOHN: Und was heißt das?

VATER: Mein Gott, wie soll ich dir das erklären? Also, paß auf: Die Frauen wollen plötzlich gleichberechtigt sein – das heißt, sie wollen den Männern gleichgestellt sein.

SOHN: Und warum?

VATER: Sie fühlen sich unterdrückt.

SOHN: Ja, das hat Charly auch gesagt, daß seine Mutter gesagt hat, sie lasse sich nicht weiter unterdrücken von den Männern.

VATER: Na siehst du!

SOHN: Papa, aber warum unterdrücken die Männer Frauen?

VATER: Aber das tun sie doch gar nicht.

SOHN: Und warum sagt es dann Charlys Mutter?

VATER: Das versuche ich dir doch gerade zu erklären. Irgendeine Frau hat damit angefangen, sich unterdrückt zu fühlen, und nun glauben es die anderen auch und organisieren sich.

SOHN: Und was heißt organisieren? Klauen?

VATER: Mein Gott, nein, hör mir doch zu: sich organisieren heißt, sich zusammentun, eine Gruppe bilden, um sich stark zu fühlen.

SOHN: Und warum muß sich Charlys Mutter stark fühlen?

VATER: Das weiß ich doch nicht. Vielleicht will sie etwas erreichen bei Charlys Vater.

SOHN: Und das kann sie nur organisiert?

VATER: Sicher glaubt sie das. Sonst würde sie es ja nicht tun. Das darf man nicht so ernst nehmen.

SOHN: Warum nicht? Wenn es doch die Frauen ernst nehmen?

VATER: Aber das sind doch nur wenige. Gott sei Dank. Eine vernünftige Frau kommt überhaupt nicht auf eine solche Idee.

SOHN: Ist Mama vernünftig?

VATER: Aber sicher. Deine Mutter ist viel zu klug, um diesen Unsinn mitzumachen.

Frag sie doch mal.

SOHN: Hab ich schon.

VATER: Na, und was hat sie gesagt?

SOHN: Daß sie das alles gar nicht so dumm findet.

VATER: So, hat sie das gesagt? Aber das ist doch etwas anderes.

SOHN: Weil Mama vernünftig ist?

VATER: Nein, herrgottnochmal, mußt du dich in deinem Alter mit solchen Fragen beschäftigen?
Mama macht sich nur Gedanken darüber – allein, und ohne nun auf die Barrikaden zu gehen.

SOHN: Papa, was heißt: Barrikaden?

Der Vater ist erleichtert, weil er hofft, abgelenkt zu haben.

VATER: Auf die Barrikaden gehen heißt – naja, das ist so eine Redewendung, verstehst du, wenn man lauthals seine Meinung vertritt, ohne eine andere gelten zu lassen.

SOHN: Aber Charly hat gesagt, seine Mutter hat gesagt, daß hier die Frauen überhaupt keine Meinung haben dürfen.

VATER: Aber das ist doch Unsinn. Wir leben doch in einer Demokratie. Da kann jeder seine Meinung haben.

SOHN: Auch sagen?

VATER: Natürlich. In einer Demokratie hat man auch Redefreiheit.

SOHN: Und wir leben in einer Demokratie?

VATER: Das sag ich doch.

SOHN: Also können auch Frauen hier ihre Meinung sagen?

VATER: Ja. Worauf willst du jetzt wieder hinaus?

SOHN: Naja, wenn das so ist, daß auch Frauen ihre Meinung sagen können, und Charlys Mutter tut das, warum darf sie dann nicht arbeiten gehen?

VATER: Wie bitte?

Was hat denn das damit zu tun?

SOHN: Charly hat gesagt, seine Mutter hat gesagt, daß sie gerne wieder arbeiten gehen möchte – und Charlys Vater hat es ihr verboten.

VATER: Das war auch richtig.

Frauen gehören ins Haus, wenn sie verheiratet sind und Kinder haben.

SOHN: Also dürfen Frauen eine Meinung haben und sie auch sagen – aber sie dürfen es dann nicht tun?

VATER: Natürlich nicht. Wo kämen wir da hin, wenn jeder das täte, was er wollte?

SOHN: Also darf Mama auch nicht einfach tun, wozu sie Lust hat?

VATER: Nein. Ich kann auch nicht immer tun, wozu ich Lust habe! Schließlich muß ich das Geld verdienen, um dich und Mama zu ernähren.

SOHN: Kann Mama sich nicht selbst ernähren?

VATER: Nicht so gut wie ich, weil Mama weniger verdienen würde, weil sie nicht einen Beruf gelernt hat wie ich. Deshalb verdiene ich das Geld, und Mama macht die Arbeit im Hause.

SOHN: Kriegt sie denn Geld dafür von dir?

VATER: Nein, natürlich nicht so direkt, indirekt aber doch.

SOHN: Und wenn sie was braucht, muß sie dich fragen.

VATER: Ja.

SOHN: Weil – wenn sie was kaufen will, braucht sie Geld.

VATER: Ja.

SOHN: Und wenn sie damit in ein Geschäft geht, kann sie auch etwas dafür verlangen.

VATER: Jaaa.

SOHN: Papa – hast du Mama auch gekauft?

Umweltverschmutzung
Hans-Joachim Schyle

Vater polkt sich eine Zigarette aus der Packung.

SOHN: Papa, Charly hat gesagt, sein Vater hat gesagt, auf die
 Schreibersche Fabrik würde er am liebsten eine Bombe werfen.

Der Vater zündet sich die Zigarette an.

VATER: So, hat er das gesagt? Und warum will er eine Bombe
 werfen?
SOHN: Na, weil die Schreibers so viel Rauch und Dreck zu ihrem
 Schornstein rausblasen . . . Charlys Vater sagt, die Schreiber-
 sche Fabrik ist eine Sauerei. Da sollte die Polizei . . .
VATER: Bitte, drück dich anständig aus.
SOHN: Du, das ist aber wirklich 'ne Menge Dreck, was da zum
 Schornstein rauskommt. Bei Charly zu Hause müssen sie
 nachts immer bei zunem Fenster schlafen, wegen «Vergiftungs-
 gefahr», sagt Charlys Schwester.
VATER: Das heißt nicht bei zunem, sondern bei geschlossenem
 Fenster.
SOHN: Papa, was machen die eigentlich in Schreibers Fabrik?

VATER: Schreibers stellen Arzneien her, Medikamente, Tabletten und so.

SOHN: Sind die denn giftig?

VATER: Ach was, wieso denn giftig? Das sind Tabletten, wie sie dir neulich der Arzt verschrieben hat, als du Durchfall hattest. Die haben dir doch geholfen, danach warst du doch wieder gesund.

SOHN: Aber der Rauch, der ist giftig?

VATER: Nun ja, der Rauch. Reich mir mal den Aschenbecher rüber.

Weißt du, zum Herstellen von solchen Tabletten brauchen die Schreibers doch Chemikalien, das sind Substanzen oder Stoffe, die manchmal giftig sind. Aber in der Fabrik wird ihnen dann das Gift herausgezogen, und was übrigbleibt, das macht gesund. Das ist die Medizin, die Tablette.

SOHN: Und das Gift? Wo bleibt das?

VATER: Das Gift? Damit kann man nichts anfangen.

SOHN: Kommt das zum Schornstein raus?

VATER: Ja, wenn du so willst, aber natürlich nicht alles.

SOHN: Ist das richtiges Gift – wie bei den Indianern?

VATER: Vielleicht, ich weiß nicht.

SOHN: Kann man davon sterben?

VATER: Naja, sterben wohl nicht gleich.

SOHN: Du, Papa, als Charly und ich am Samstag am Bliesbach angeln wollten, schwammen da lauter tote Fische herum. Charly hatte so prima Mehlwürmer, aber im Bliesbach gibt es gar keine Fische mehr, die anbeißen. Charlys Vater hat gesagt, das weiß er schon lange, daß im Bliesbach alle Fische kaputtgehen. Da lassen die Arbeiter von der Schreiberschen Fabrik immer ihr Wasser ab. Das ist kriminell.

VATER: Na ja, aber das gibt es ja auch anderswo.

SOHN: Ja, als wir letztes Jahr im Urlaub waren, hat uns der alte

Bauer gesagt, daß es im Bodensee auch schon fast keine Felchen mehr gibt, oder nur noch so ganz kleine krumplige.

VATER: Na, siehst du. Da unten sind halt auch Fabriken. Durch die wird das Wasser schmutzig. Und dann die Bodenseeschiffe, die lassen schon mal Öl ab, und das vertragen die Fische nicht.

SOHN: Sind das auch Kriminelle? Wie die Schreibers?

VATER: Wer? Die Fische?

SOHN: Nein. Die Bodenseekapitäne.

VATER: Aber hör mal, warum sollen denn das Kriminelle sein? Weißt du noch, was wir für einen Spaß hatten, als wir mit dem Schiff von Meersburg nach Konstanz fuhren?

SOHN: Ja. Aber wenn die doch die ganzen Fische kaputtmachen. Du, Papa, was sind eigentlich Kriminelle? Sind das Banditen?

VATER: Na ja, Banditen auch, Verbrecher halt – Diebe, Einbrecher, auch Mörder.

SOHN: Sind denn die Schreibers Mörder?

VATER: Nein. Wieso? Hat das auch Charlys Vater gesagt?

SOHN: Nee. Aber weil die doch ihr Gift aus dem Schornstein lassen. Und weil die ganzen Fische im Bliesbach totgegangen sind.

VATER: Nun laß mal die Fische. Aber der alte Doktor Schreiber, bevor der seine Fabrik aufmachte, war der doch selber Mediziner oder Arzt oder Apotheker. Der will doch die Leute nicht vergiften. Der verdient doch sein Geld nicht mit Gift.

SOHN: Charly sagt, sein Vater hat gesagt, die Schreibers sind stinkreich.

VATER: Na ja, Charlys Vater muß es ja wissen.

SOHN: Sind die Schreibers viel reicher als wir?

VATER: Natürlich, das kann man auch gar nicht vergleichen. Die haben ja auch eine Fabrik.

SOHN: Und warum sind die so reich?

VATER: Nun, die verdienen halt viel Geld mit ihren Arzneien, ihren Medikamenten, ihren Tabletten. Das hab ich dir doch schon gesagt.

SOHN: Und wenn die Leute krank werden von dem Rauch aus der Fabrik? Haben die Schreibers dagegen auch Tabletten?

VATER: Das weiß ich nicht. Ich denke schon.

SOHN: Du, . . . du Papa, wenn die Schreibers noch viel mehr Rauch zum Schornstein rauslassen, können die dann auch noch viel reicher werden?

VATER: Nein. Wie kommst du darauf?

SOHN: Wenn alle Leute, die da wohnen, krank werden, müssen die doch die Tabletten von den Schreibers kaufen . . .

VATER: Ach was. Das ist ja Unsinn. Außerdem gibt es Gesetze, die bestimmen genau, wieviel Rauch eine Fabrik an jedem Tag hinausblasen darf, was gefährlich ist oder tödlich, oder eigentlich, was nicht so schädlich ist.

SOHN: Ja, das sagt Charlys Vater auch. Aber er sagt, daß sich niemand daran hält.

VATER: Die müssen sich ja daran halten. Das wird doch kontrolliert.

SOHN: Charly sagt, daß die Schreibers den meisten Rauch nachts rauslassen, weil es dann niemand merkt.

VATER: Na ja, die werden halt auch sehen, wie sie über die Runden kommen.

SOHN: Du Papa, würdest du bitte dieses Papier unterschreiben?

VATER: Zeig einmal her. Was ist das?

SOHN: Charly sagt, sein Vater sammelt Unterschriften in seinem Betrieb, damit will er die Schreibers zwingen, daß die Sauerei aufhört.

VATER: Laß diese Ausdrücke! Aber wie will er denn den alten Schreiber zwingen?

SOHN: Charlys Vater hat gesagt, es gibt heute schon Apparate, damit kann man den Rauch und das Gift aus den Schornsteinen ganz oder nicht ganz, aber doch beinahe ganz absolvieren.

VATER: Absorbieren, meinst du. Na ja, so etwas gibt es schon, das sind Filter, Elektrofilter. Aber die sind sehr teuer.

SOHN: Aber die Schreibers sind doch stinkreich?

VATER: Na, so reich nun auch wieder nicht. Wenn der alte Schreiber gezwungen wird, sich so teure Dinger anzuschaffen . . . Nein, nein, da macht der nicht mit.

SOHN: Charly sagt, sein Vater will dem Schreiber die Polizei in die Fabrik schicken. Wenn alle Leute sich beschweren, dann muß er.

VATER: Der muß gar nicht, wenn er nicht will. Der alte Schreiber entläßt eher die Arbeiter oder führt Kurzarbeit ein. Das hat der schon einmal gemacht, vor drei Jahren.

SOHN: Hört dann der Rauch auf?

VATER: Ja, der Rauch hört dann auf. Aber dann ist auch der Ofen aus, und die Arbeiter sitzen auf der Straße. Da möcht ich mal Charlys neunmalklugen Vater hören, was der dann sagt.

SOHN: Warum?

VATER: Weil die Arbeiter dann nichts mehr verdienen.

SOHN: Und der alte Schreiber? Der verdient dann doch auch nichts?

VATER: Stimmt. Aber der hat ja seine Fabrik und sein Geld, dem macht das nichts aus. Aber die Arbeiter . . .

SOHN: Charlys Mutter sagt, wenn die Leute erst mal alle krank sind, dann brauchen sie auch nicht mehr zu arbeiten.

VATER: So, sagt Charlys Mutter das?
Aber die Gewerkschaften, was die wohl sagen werden . . .

SOHN: Willst du den Zettel nun unterschreiben?

VATER: Muß ich mir noch überlegen. Weiß ich nicht. Gib mal her.

83

Der Vater zündet sich eine neue Zigarette an.

SOHN: Papa, Mama sagt, du machst sie noch ganz krank mit deiner Raucherei.

VATER: So, deine Mutter auch? Dann bin ich wohl für euch das gleiche wie die Schreibers? Vielleicht auch ein Krimineller? Hast du eigentlich schon deine Schularbeiten gemacht?

SOHN: Der alte Schreiber ist wenigstens für Kurzarbeit.

VATER: Hast du deine Schularbeiten gemacht, frage ich.

SOHN: Nein. Noch nicht.

VATER: Dann geh jetzt und mach deine Arbeit.

SOHN: Aber wenn du nicht mehr rauchen dürftest, würdest du dann auch für Kurzarbeit sein? Wie die Schreibers?

Kindermund ...

...ist aller Ärger Anfang. Oder tut er am Ende doch die Wahrheit kund?

Jedenfalls: «Wüchsen die Kinder in der Art fort, wie sie sich andeuten, so hätten wir lauter Genies.» Das meinte Goethe. Und vielleicht ist's gut so, denn Genies sind Menschen mit der außergewöhnlichen Gabe, etwas zu schaffen, wovon sie selbst schlecht und ihre Nachfolger blendend leben können. Und schließlich läßt es sich mit einem gewöhnlichen Barvermögen so glücklich leben wie mit einem ungewöhnlichen Geistesvermögen.

Blauer Brief
Margarete Jehn

Der Vater liest Zeitung.

SOHN: Du, Papa . . .
   Papa – Charly hat gesagt, 'n blauen Brief kriegt jeder mal in
   seinem Leben.
VATER: Entschuldige, ich hab eben nicht zugehört. Was war mit
   dem Brief?
SOHN: 'n blauen Brief. So 'n Brief von der Schule. Charlys Schwe-
   ster sagt, das wäre ein blauer Umschlag. Deswegen heißt so ein
   Brief «blauer Brief». Weil er blau ist.
VATER: So, einen blauen Brief kriegt Charlys Schwester. Dann
   wird sie ihn auch wohl verdient haben.
SOHN: Gab's früher denn auch schon blaue Briefe, ich mein, zu
   deiner Zeit?
VATER: Natürlich!
SOHN: Und hast du auch mal . . .
VATER: Ich? Nie! Wie kommst du denn darauf?
SOHN: Nur so.
   Charlys Schwester kriegt den Brief aber gar nicht.
VATER: Wer denn? Charly?

SOHN: Charly doch nicht!

VATER: Charly auch nicht? Wer kriegt ihn denn nun?

SOHN: Wer? Also – ich.

VATER: Sag das noch mal!

SOHN: Nur so zur Information, sagt Herr Schubert. Weil ihr zu keinem Elternabend gekommen seid. Und weil ihr ja auch nie Zeit habt, wenn Elternsprechtag ist.

VATER: Darüber hat Herr Schubert nicht zu befinden, ob wir Zeit haben oder nicht. Wär ja noch schöner. Ich hab nicht so einen ruhigen Job wie dein Lehrer. Das kannst du ihm mal bestellen.

SOHN: Wieso, davon sagt er doch auch gar nichts.

VATER: Nein, er sagt nichts. Er schickt einem lieber heimtückisch blaue Briefe ins Haus . . .

SOHN: Vielleicht hätte Mama ja mal . . .

VATER: Mama! Was soll Mama da. Die ist doch diesem Schubert überhaupt nicht gewachsen! Ich möchte jetzt hören, wie es überhaupt dazu kommen konnte, daß mir so ein blauer Brief ins Haus geschickt wird. Also, was steht drin in dem Brief?

SOHN: Das weiß ich doch nicht.

VATER: Was in dem Brief steht!! Heul nicht!

SOHN: Wahrscheinlich – ich bin schlechter geworden.

VATER: In welchem Fach?

SOHN: Fach?

VATER: Herrgott – Deutsch oder Rechnen . . .

SOHN: Wahrscheinlich – so im ganzen.

VATER: Ach, so im ganzen!

SOHN: Ja.

VATER: Und woran liegt das?

SOHN: Charly hat gesagt, ich bin wahrscheinlich nicht auf der richtigen Schule.

In England gibt es da so eine Schule. Da müssen die Kinder

überhaupt nicht lernen, wenn die nicht wollen.

VATER: Jetzt muß ich aber lachen.

SOHN: Du lachst ja gar nicht.

VATER: Da kann einem ja auch wohl das Lachen vergehen. Mein lieber Junge, du lebst in Deutschland! Hier wird allemal noch auf Leistung gesehen, kapiert?

SOHN: Leistung?

VATER: Jetzt stell dich aber mal nicht dämlicher an, als du wirklich bist: Wenn man etwas leistet; wenn man etwas tut! Man leistet etwas, damit man sich später etwas leisten kann. Das bedeutet: Ich muß arbeiten und lernen, damit es mir später gutgeht, damit ich mir etwas kaufen kann, damit ich Reisen machen kann und so weiter.

SOHN: Du machst doch überhaupt keine Reisen.

VATER: Ich hab ja auch gesagt – später.

SOHN: Wann denn?

VATER: Wenn ich älter bin.

SOHN: Du bist doch schon älter.

VATER: Halt den Mund! Das interessiert jetzt nicht.

SOHN: Aber wir haben doch eben darüber gesprochen . . .

VATER: . . . wie es kommt, daß die schulischen Leistungen meines Herrn Sohnes so nachgelassen haben. Und ich will, daß du mir klipp und klar darauf antwortest.

SOHN: Vielleicht . . .

VATER: Bitte!

SOHN: . . . weil ich keine Zeit hatte, ich mein, nicht für Deutsch und so. Ich hab nämlich in diesem Sommer fotografieren gelernt, weil ich doch Kamerajäger werden will.

VATER: Was willst du werden?

SOHN: Kamerajäger. So in Afrika. Tiere. Löwen und Zebras und Antilopen und so.

VATER: Erzähl mir doch nicht, daß du jeden Tag stundenlang fotografiert hast.

SOHN: Doch.

VATER: Und wo hast du die Filme hergekriegt?

SOHN: Flohmarkt und Geburtstag und Autos waschen und so.

VATER: Autos waschen?

SOHN: Bei der Esso-Tankstelle.

VATER: So. Das sind ja wunderbare Neuigkeiten. Mein Sohn, mein Sohn wäscht anderer Leute Wagen, verzichtet hinfort darauf, sich geistig zu betätigen, weil er ja doch Kamerajäger werden will, nimmt blaue Briefe in Kauf. – Sag mal, das von dem blauen Brief, hast du das schon jemand erzählt?

SOHN: Nö, bloß Charlys Schwester. Und die Eltern von Charly, die wissen das auch.

VATER: So. Und was sagt Charlys Vater dazu?

SOHN: Der hat sich halbtot gelacht.

VATER: So. Der hat sich halbtot gelacht. Ein feiner Mensch mit Sinn für Humor.

SOHN: Ja, der ist immer so lustig. Der hat gesagt: Früh übt sich . . .

VATER: Wer ein Meister werden will.

SOHN: Woher weißt du denn, was Charlys Vater gesagt hat?

VATER: Ich bin ja nicht auf den Kopf gefallen, mein Junge. Im Gegensatz zu dir. Ich weiß doch, was gespielt wird. Schön frohlocken wird der. «Siehst du», wird er zu Charly sagen, «das sind so die typischen Dekadenzerscheinungen bei den Sprößlingen der Oberklasse.»

SOHN: Sind wir denn Oberklasse?

VATER: Du nicht mehr lange, wenn du so weitermachst.

SOHN: Was sind denn das für Erscheinungen bei mir?

VATER: Erscheinungen?

SOHN: Du hast doch eben was gesagt von so komischen Erscheinungen . . .

VATER: Dekadenzerscheinungen. Dekadenz ist Verfall.

SOHN: Wenn eine Fahrkarte verfällt, ist das dann eine Dekadenzerscheinung?

VATER: Quatsch. Es bezieht sich auf den Menschen. Auf . . . Wenn der zum Beispiel . . . na, ja . . .

SOHN: . . . nicht weiß, wie er ein Wort erklären soll?

VATER: Werd nicht frech, du.

Wer so kläglich dasteht wie du, hält am besten den Mund.

SOHN: Ich wollte ja nur fragen.

VATER: Wenn hier einer Fragen zu stellen hat, bin ich es. Und ich frage dich jetzt zum letztenmal, wie es zu einer solchen Blamage kommen konnte.

SOHN: Meinst du jetzt wieder den blauen Brief?

VATER: Genau den meine ich!

SOHN: Ach, für mich ist der gar keine Blamage.

VATER: Aber für mich, Bürschchen.

SOHN: Warum denn? Du bist doch längst raus aus der Schule.

VATER: Aber ich bin dein Vater. Und du solltest ab und zu auch mal wieder an mich denken und an Mama. Das mußt du doch verstehen.

Alle Eltern möchten ein bißchen stolz sein auf ihre Kinder.

SOHN: Warum seid ihr denn nicht stolz drauf, daß ich gut fotografieren kann? Warum . . .

VATER: Warum, warum! Weil Kamerajäger einfach kein seriöser Beruf ist. Das reicht eben nicht, verstehst du.

SOHN: Ist ein seriöser Beruf so wie deiner?

VATER: Ja.

SOHN: Und wenn ich so einen Beruf hab, werd ich dann so wie du?

VATER: Wieso, was soll das heißen – werd ich dann so wie du?

SOHN: Och, weiß ich auch nicht.

VATER: Bitte, was meinst du damit! Willst du etwa nicht so werden wie ich?

SOHN: Eigentlich nicht.

VATER: Du willst also kein erwachsener Mann werden?

SOHN: Doch.

VATER: Aber?

SOHN: Aber ein anderer.

VATER: Was heißt das – aber ein anderer? Was für ein Leben willst du denn führen als erwachsener Mann?

SOHN: Weiß ich auch nicht so genau. Ich würde vielleicht nicht immer arbeiten.

VATER: Und wo willst du so ein großes Haus herkriegen und so einen schönen Garten?

SOHN: Ich glaube, so ein Haus und so würde ich mir gar nicht erst anschaffen, weil man da ja bloß immer aufpassen muß, daß einem nichts geklaut wird.

VATER: Aha. Paßt dir außer dem sauer verdienten Haus noch was nicht an deinem Vater?

SOHN: Mehr wollt ich eigentlich nicht sagen, außer vielleicht – ich würde zusehen, daß ich mehr Spaß habe. Ich meine, ich würde richtig lachen – nicht nur immer sagen: «Da muß ich aber lachen!» – und dann lache ich gar nicht.

VATER: Dir wird das Lachen auch noch vergehen, mein Lieber.

SOHN: Ich will überhaupt ganz anders werden. Irgendwie – so richtig lebendig.

VATER: Bin ich das nicht?

SOHN: Du? Du bist doch so – so seriös!

Die Reichen
Eugen Helmlé

Vater liest ein Buch.

SOHN: Papa, Charly hat gesagt, sein Vater hat gesagt, die Reichen
  werden immer reicher.
  Stimmt das?
VATER: Dumme Sprüche, sonst nichts. Wahlsprüche.
SOHN: Was sind denn Wahlsprüche?
VATER: Das sind Sprüche, die von den Parteien vor den Wahlen
  unter das Volk gebracht werden.
SOHN: Sind alle Wahlsprüche dumme Sprüche?
VATER: Nein.

*Der Vater blättert eine Buchseite um und versucht weiterzule-
sen. Doch sein Sohn läßt nicht locker.*

SOHN: Aber «Die Reichen werden immer reicher» ist einer?
VATER: Ja.
SOHN: Wieso?
VATER: Weil diese Behauptung so nicht stimmt.
SOHN: Welche Behauptung?

VATER: Daß die Reichen immer reicher werden.

SOHN: Wieso? Werden die Reichen immer ärmer?
Du, Papa, dann sind die Reichen ja eines Tages arm.

VATER: Nein. Sicher, auch das kommt mal vor, aber im Prinzip
doch kaum.

SOHN: Dann werden sie also doch immer reicher, wenn sie nicht
ärmer werden, genau wie Charlys Vater sagt.

VATER: Da steckt doch nur der Neid dahinter, hinter diesen Phra-
sen von Charlys Vater. Dabei sind sie nicht einmal auf seinem
Mist gewachsen. Die hat er nämlich von der Partei, die er wählt.

SOHN: Was für eine Partei wählt er denn?

VATER: Na, was für eine Partei wird der schon wählen?

SOHN: Was für eine Partei wählst denn du, Papa?

VATER: Das ist Wahlgeheimnis.

SOHN: Wählst du dieselbe Partei wie Charlys Vater?

VATER: Kaum anzunehmen.

SOHN: Und warum?

VATER: Darum.

SOHN: Darum, das ist doch keine Antwort.

VATER: Vielleicht ist dir schon aufgefallen, daß ich ein Buch lese
und dazu brauche ich meine Ruhe. Verstanden?

SOHN: Klar hab ich verstanden.
Das ist doch immer so. Wenn du nicht antworten kannst oder
willst, brauchst du deine Ruhe. Dabei hast du erst neulich
gesagt: «Wenn du Fragen hast, komm zu mir.»

VATER: Na und? Kannst du etwa nicht zu mir kommen, wenn du
Fragen hast? Aber wenn du siehst, daß ich beschäftigt bin, dann
ist es doch nicht unbedingt nötig, daß du mich störst.

SOHN: Bist du ja gar nicht. Du liest ja nur.

VATER: Aha. Das ist offensichtlich wieder Charlys Einfluß. Lesen
scheint bei diesen Leuten nicht sehr hoch im Kurs zu stehen.

SOHN: Denkste!

Charly sagt, sein Vater liest sogar Gedichte, wenn er sonst nichts zu tun hat.

VATER: Was du nicht sagst.

SOHN: Charly kann sogar eins auswendig, hat ihm sein Vater beigebracht.

Soll ich dir's vorsagen?

VATER: Meinetwegen.

SOHN: Man macht aus deutschen Eichen keine Galgen für die Reichen.

VATER: Wohl Arbeiterdichtung, was?

SOHN: Weiß nicht. Charly sagt, das ist von Heinrich . . . Heinrich . . . und noch was mit Hein, glaub ich . . .

VATER: Vielleicht Heinrich Heine?

SOHN: Ja. Kennst du den? Hat der noch mehr Gedichte geschrieben?

VATER: Massenweise. Auch so einer, der sich nicht in die Ordnung fügen konnte. Deshalb hat er sich auch rechtzeitig nach Frankreich abgesetzt.

SOHN: Braucht man sich in Frankreich nicht in die Ordnung zu fügen?

VATER: Natürlich. Außerdem war das schon im letzten Jahrhundert. Und jetzt laß mich endlich weiterlesen.

Das Gespräch ist freilich noch nicht beendet. Der Sohn rutscht auf seinem Stuhl hin und her und platzt heraus.

SOHN: Papa, leben Reiche denn sicherer?

VATER: Wann? Wieso?

SOHN: Wenn für die Reichen keine Galgen gemacht werden?

VATER: Erstens gibt es bei uns sowieso keine Galgen mehr, weder für reich noch für arm. Und zweitens leben die Reichen schon gar nicht sicherer. Im Gegenteil, ständig werden welche entführt.

SOHN: Warum werden die entführt?

VATER: Wegen des Lösegeldes. Die Familie muß dann viel Geld bezahlen, um sie wieder freizubekommen.

SOHN: Ja, das stimmt, das hab ich neulich in der Zeitung gelesen. Charly sagt, das ist, weil bei denen mehr zu holen ist.

VATER: Also leben sie nicht sicherer, das muß dir doch einleuchten.

SOHN: Du, Papa, sind wir reich?

VATER: Nein, sind wir nicht, das weißt du doch. Aber wir kommen gut aus.

SOHN: Wenn wir nicht reich sind, haben wir dann weniger vom Leben?

VATER: Nein, das Gegenteil ist eher der Fall. Man sollte nämlich den Reichtum nicht überschätzen. Wichtiger als alle Sachgüter sind die geistigen, die ethischen und die ewigen Werte. Wer nur nach Besitz strebt, zeigt damit doch nur, daß er im Grunde ein unreifer Mensch ist.

SOHN: Ist dann Reichtum was Schlechtes?

VATER: An sich ist Reichtum natürlich nichts Schlechtes. Im Gegenteil, redlich erworben und richtig gebraucht, gibt der Reichtum große Möglichkeiten zur persönlichen Entfaltung.

SOHN: Können sich die andern nicht so entfalten?

VATER: Sicher, jeder kann sich bei uns entfalten, und zwar frei entfalten, aber wenn man reich ist, hat man halt mehr Möglichkeiten dazu. Das ist auch der einzige Unterschied zwischen den Reichen und den andern, die nicht so reich sind.

SOHN: Dann haben die Reichen also doch mehr vom Leben?

VATER: Laß dir nichts vormachen, mein Junge. Mit dem Reichtum fertig werden ist auch ein Problem, und zwar ein großes, wie einer unserer früheren Bundeskanzler mal gesagt hat. Und dieses Problem, siehst du, das hat man nicht, wenn man nicht reich ist. Leider wollen das viele nicht einsehen, auch Charlys Vater nicht.

SOHN: Du Papa, wie wird man denn überhaupt reich?

VATER: Reich, na ja, reich wird man durch Arbeit und Sparsamkeit. Ja, so wird man reich.

SOHN: Warum sind wir dann nicht reich? Arbeitest du nicht genug, Papa?

VATER: Natürlich arbeite ich, mehr als genug, ich bin schließlich Beamter, aber das allein genügt halt nicht.

SOHN: Ist Mama nicht sparsam genug?

VATER: Sag das mal nicht zu laut, du weißt, daß Mama da keinen Spaß versteht. Und ob die sparsam ist. Aber man muß halt noch ein bißchen Glück dazu haben, wenn man reich werden will.

SOHN: Wie im Toto?

VATER: Genau.

SOHN: Aber wenn man im Toto gewinnt, braucht man doch nicht zu arbeiten und nicht zu sparen.

VATER: Nein, aber man muß Glück haben.

SOHN: Und wo kriegen die Reichen das viele Geld her, das sie haben?

VATER: Wo sollen sie es schon herkriegen? Das hab ich dir doch schon einmal gesagt, sie sparen halt.

SOHN: Charly ist da anderer Meinung.

VATER: So?

SOHN: Ja, Charly sagt, sein Vater hat gesagt, solange einer die andern nicht übervorteilt und betrügt, kann er nicht reich werden. Sind alle Reichen dann Betrüger?

VATER: Natürlich nicht. Was Charlys Vater da behauptet, ist

einfach unverantwortlich. Abgesehen davon, daß es diffamie-
rend ist.

SOHN: Charlys Vater hat noch gesagt, reich wird man nicht vom
Arbeiten allein, sonst müßte der Esel reicher als der Müller sein.

VATER: Da hat er allerdings recht. Denn intelligent muß man auch
noch sein. Und deshalb wird Charlys Vater wohl nie reich
werden.

SOHN: Du, Papa, und warum bist du nicht reich?

Pressefreiheit
Hans-Joachim Schyle

Der Vater hat wieder die Zeitung vor sich, blättert darin, liest.

SOHN: Papa, Charly hat gesagt, sein Vater hat gesagt, die meisten
Zeitungen sind nicht mehr wert, als . . .

VATER: Mehr wert als was?

SOHN: . . . als daß man sich damit den Hintern wischt.

VATER: Nun ja, Charlys Vater ist ja bekannt für seine blumigen
Ausdrücke.

SOHN: Vielleicht hat er das so gar nicht gesagt. Aber Charly . . .

VATER: Ah so, dein Freund Charly? Der muß es ja wissen.

SOHN: Ja, der ist doch jetzt Redakteur an unserer Schülerzeitung.

VATER: Ich dachte, der sei in Deutsch nicht so besonders.

SOHN: Na ja, in Deutsch nicht so besonders. Aber darauf kommt
es doch auch gar nicht an.

VATER: So? Worauf kommt es denn an bei einem Redakteur?

SOHN: Auf . . . auf . . . Na ja, er muß halt schreiben, wie's ist.
Und er muß sich auch was trauen.

VATER: Und dein Charly traut sich?

SOHN: Ja du, der hat neulich unsere Klassenlehrerin ganz schön
auf die Palme gebracht. Die gibt uns doch immer über Sonntag

Hausaufgaben auf. Und da hat Charly herausgefunden, daß die das gar nicht darf – nach der Schulordnung. Charly kennt doch jetzt die ganze Schulordnung und die Schülermitbestimmung von A bis Z. Und da hat er eben einen Artikel geschrieben. Messerscharf.

VATER: Und der Artikel ist in eurer Schülerzeitung erschienen?

SOHN: Nein, eben nicht. Das ist ja die Schei . . .

VATER: Bitte!

SOHN: . . . der Scheibenhonig. Charly sagt, das ist eine hundsgemeine Zensur. Wie unter Hitler, hat sein Vater gesagt.

VATER: Wieso? Ich denke, ihr macht eure Zeitung selber.

SOHN: Eigentlich schon. Das heißt, wir, also Charly und die anderen, schreiben alles selber, was nachher drinsteht.
Aber jeder Aufsatz oder Artikel muß vorher dem Klassenlehrer gegeben werden, und der geht damit zum Rektor . . .

VATER: Warum das?

SOHN: Ja, sie sagen, der Rektor muß aufpassen, daß auch alles stimmt, daß alles «sachlich und objektiv» ist. Aber Charly sagt, die Lehmann . . .

VATER: Das ist eure Klassenlehrerin? Bei der bin ich ja schon zur Schule gegangen. Da war ich sogar Klassenerster.

SOHN: Jaja, ich weiß. Aber die Lehmann war gar nicht beim Rektor. Die hat Charly seinen Artikel zurückgegeben und gesagt, was Charly geschrieben hat, ist nicht «objektiv» genug. Aus. Basta.

VATER: Und was hat Charly gemacht?

SOHN: Der kann doch nichts machen. Zuerst hat er gesagt, das stimmt genau, was er geschrieben hat, er kann ihr die Schulordnung zeigen. Aber die Lehmann wollte die gar nicht sehen. Die belämmert nun den Charly dauernd: «Der Herr Redakteur sollte sich lieber mehr um seine Schulaufgaben kümmern als um die Schulordnung.» Und jetzt nimmt sie den Charly in jeder Stunde dreimal dran. Der muß büffeln wie 'n Ochse.

VATER: Hmm. Das wird ihm ja nichts schaden.

SOHN: Du, Papa, dürfen die in der richtigen Zeitung immer alles schreiben, was sie wollen?

VATER: Ja natürlich. Das sind ja auch keine Schüler.

SOHN: Bah: Schüler. Jetzt fängst du auch schon an wie die Lehmann. Übrigens stimmt das gar nicht.

VATER: Was stimmt nicht?

SOHN: Daß die Redakteure in den Zeitungen immer alles schreiben dürfen, was sie wollen.

VATER: Natürlich stimmt das. Das ist sogar gesetzlich geregelt. Im Grundgesetz ist die Pressefreiheit ausdrücklich . . .

SOHN: Charlys Schwester, die ist mit einem Redakteur befreundet . . .

VATER: Wohl einem von der Schülerzeitung?

SOHN: Nein, von einer richtigen Zeitung. Von der «Rundschau». Der hat erzählt, er hat neulich was geschrieben, eine große Reportage, sagt Charlys Schwester, und die kam auch nicht in die Zeitung.

VATER: Und warum?

SOHN: Weiß ich auch nicht genau. Ich glaube, er hat über die Nyssen-Siedlung geschrieben, da, wo die vielen Gastarbeiter wohnen, die Italiener und die Türken und Griechen.

VATER: Ja und? Warum durfte das nicht erscheinen?

SOHN: Na eben, wegen der Gastarbeiter.

VATER: Das ist doch Unsinn. Heute kann doch jeder über die Gastarbeiter schreiben.

SOHN: Ja, aber der Freund von der Schwester von Charly durfte nicht. Er hat rausgefunden, daß da die Mieten viel zu hoch sind. Daß die Italiener und Türken da sechs oder sieben Mann hoch in einem Zimmer schlafen, daß die Klos nicht funktionieren und so. Daß die halt von den Nyssenwerken ausgebeutet werden.

VATER: Ausgebeutet, meinst du. Na, das ist ja wohl auch gelinde übertrieben.

SOHN: Nein. Seine Schwester hat gesagt, der Bruno – das ist ihr Freund –, der hat sich das in der Nyssensiedlung ganz genau angeguckt und hat mit all den Arbeitern da geredet. Aber hinterher kam ein Mann von den Nyssenwerken in die Zeitung, oder einer – der Direktor – hat angerufen, und dann durfte darüber nichts gedruckt werden.

VATER: Hm, ja. Das kommt vielleicht mal vor.

SOHN: Charlys Vater sagt, das ist ein Skandal.

VATER: Nana, ein Skandal sicher nicht. Das ist ja nicht so einfach. Also paß mal auf. Die Nyssenwerke, die geben ja jede Woche eine Menge Anzeigen in der «Rundschau» auf, für ihre Waschmaschinen und Haushaltsgeräte, und dann am Samstag die vielen Stelleninserate. Diese Anzeigen kosten Geld. Und von dem Geld, was da reinkommt, lebt die Zeitung. Davon muß das Papier bezahlt werden, die Löhne für die Drucker und die Redakteure, auch für den Freund von Charlys Schwester.

SOHN: Aber die Zeitung bezahlen doch wir? Die kaufen wir doch!

VATER: Ja, das schon.

Aber die fünfzig Pfennig, die reichen nicht. Die Herstellungs- und Druckkosten sind in Wirklichkeit viel höher. Und die kommen eben durch die Anzeigenpreise herein.

SOHN: Aber was hat das mit den Gastarbeitern zu tun?

VATER: Nun ja, wenn die Nyssenwerke in jedem Monat so viel Geld für ihre Anzeigen an die «Rundschau» zahlen, dann wollen die natürlich nicht, daß irgend etwas Unvorteilhaftes über sie in die Zeitung kommt. Wenn die merken, da will irgendein Redakteur sie in die Pfanne hauen, dann versuchen die das natürlich zu verhindern. Da ruft vielleicht einer bei der Zeitung an. Das ist ja verständlich.

Sohn: Und die von der Zeitung, die müssen tun, was die wollen?

Vater: Nein, im Prinzip natürlich nicht. Aber wenn sie nicht wollen, daß die Nyssenwerke ihnen keine Anzeigen mehr geben, weil sie eben auf das Geld angewiesen sind, dann werden sie vielleicht einlenken. Und eben lieber mal einen Artikel in den Papierkorb werfen.

Sohn: Aber wenn doch die Gastarbeiter da so miserabel wohnen und so irrsinnig hohe Mieten zahlen müssen? Warum soll man denn darüber nichts schreiben? Charly sagt, sein Vater hat gesagt, da muß die Zeitung was zu sagen, weil ja die Italiener sich nicht wehren können, weil sie nicht richtig Deutsch können.

Vater: Nun ja. Vielleicht wäre es sogar besser gewesen, der Verleger hätte den Artikel gebracht. Aber das kann man als Außenstehender natürlich schwer beurteilen. Im übrigen muß jede Zeitung Rücksicht auf ihre Anzeigenkunden nehmen. Nicht nur die «Rundschau».

Sohn: Dann bestimmen die Anzeigenkunden also, ob was über die Gastarbeiter in die Zeitung kommt oder nicht?

Vater: Nein, natürlich nicht. Aber auch in einer Zeitung kann natürlich nicht jeder schreiben, was er will.

Sohn: Hast du aber gesagt. Das sei im Grundgesetz . . .

Vater: Ja, die Pressefreiheit. Die gibt es auch, im Prinzip. Aber das heißt ja nicht, daß . . . Also, ihr zum Beispiel, in eurer Schülerzeitung, ihr könnt ja auch nicht schreiben, wie ihr . . .

Sohn: Ja, bei uns. Da gibt es ja auch keine Pressefreiheit. Das ist ja wegen der doofen Lehmann . . .

Vater: Nun vielleicht. Aber sieh mal, bei einer richtigen Zeitung gibt es ja doch auch eine Art Lehmann, oder einen Rektor, die aufpassen . . . Kontrolle gibt's doch überall.

SOHN: Hm?

VATER: Nun ja, die Zeitung hat zum Beispiel einen Herausgeber oder einen Verleger, der, dem die Zeitung gehört, und der hat einen Chefredakteur. Und die sind für die Linie der Zeitung verantwortlich.

SOHN: Welche Linie?

VATER: Nun ja, die politische. Die bestimmen eben – in großen Zügen natürlich nur –, welche Meinung die Zeitung zu einem Thema oder Problem vertreten soll. Zum Beispiel damals, als es um die Ostpolitik ging, ob man dafür sein soll, daß der Brandt und der Scheel nach Moskau und Warschau fahren und die Verträge mit Rußland und Polen abschließen. Da konnte man doch verschiedener Meinung sein.

SOHN: Charly sagt, der Freund von seiner Schwester war dafür.

VATER: Nun gut. Aber wenn der Verleger oder sein Chefredakteur vielleicht anderer Meinung waren? Was dann?

SOHN: Ja, was dann?

VATER: Dann konnte der Freund von Charlys Schwester doch nicht schreiben, warum er dafür ist.

SOHN: Warum denn nicht?

VATER: Das geht eben nicht, glaube ich.

SOHN: Warum?

VATER: Weil der Chefredakteur oder der Herausgeber vielleicht vorher schon geschrieben haben, warum sie gegen die Verträge sind. Damit haben sie doch schon die politische Linie festgelegt.

SOHN: Dann muß der Freund von Charlys Schwester auch gegen Brandt und Scheel sein?

VATER: Nein, das sicher nicht. Aber er darf auch nicht dafür schreiben. Wahrscheinlich darf er überhaupt nicht zu dem Thema schreiben.

SOHN: Und das ist im Grundgesetz so bestimmt?

VATER: Nein, das nicht. Die Pressefreiheit ist da ja nur allgemein festgelegt. Jede Zeitung kann natürlich zu einer bestimmten Frage auch eine ganz bestimmte Meinung haben. Das ist ja gerade das Wesen der Freiheit.

SOHN: Und die bestimmt der Verleger?

VATER: Was? Die Freiheit?

SOHN: Nein, die Meinung, meine ich. Was zum Beispiel einer über die Nyssen-Siedlung denkt oder über die Hausaufgaben übers Wochenende.

VATER: Na ja, die Meinung kann natürlich jeder sagen oder schreiben. Auch ein einfacher Redakteur. Das ist da alles nur generell geregelt. Aber wenn es Streitfälle gibt, wenn man halt verschiedener Meinung ist, dann muß ja einer entscheiden, welche Meinung gilt. Das ist überall so.

SOHN: Warum? Man kann doch verschiedener Meinung sein. Du und Mutti, ihr habt euch auch oft . . .

VATER: Nun, das laß man. Das ist ja zu Hause auch was ganz anderes. Aber in einer Zeitung kann man halt nicht heute die und morgen die Meinung vertreten.

SOHN: Warum?

VATER: Weil das eben nicht geht. Weil man dadurch die Leser nur verwirren würde.

SOHN: Aber wenn doch der Freund von Charlys Schwester genau weiß, daß das mit den Gastarbeitern eine Schweinerei ist. Der meinte sogar, daß da nur die Polizei . . .

VATER: Der meinte es eben so, und der Verleger meint etwas anderes. Über Meinungen kann man sich immer streiten. Am Ende kann halt nur einer recht haben . . .

SOHN: Aber der Freund von Charlys Schwester hatte doch recht. Sein Verleger wollte doch nur . . .

VATER: Der Verleger ist schließlich der Verleger. Dem gehört die Zeitung . . . Er macht damit Geschäfte. Davon leben die Redakteure und Setzer und die Leute an den Maschinen. Begreif das doch endlich! Das hängt alles miteinander zusammen und kann nur funktionieren, wenn der Verleger auch das Sagen hat.

SOHN: Ist das bei allen Zeitungen so?

VATER: Selbstverständlich. Jeder Verleger muß Rücksichten nehmen.

SOHN: Damit er Geschäfte macht . . .

VATER: So ist es.

SOHN: . . . und nicht sagt, was wirklich los ist.

VATER: Wenn man sich genauer informieren will, kann man ja noch andere Zeitungen lesen. Wie du siehst, abonniere ich zwei Zeitungen.

SOHN: Vom selben Verleger.

VATER: Es gibt noch das Fernsehen.

SOHN: Nehmen die keine Rücksicht?

VATER: Manche überhaupt nicht. Die glauben, sie können sich alles erlauben.

SOHN: Du bist also dagegen, daß sie keine Rücksicht nehmen?

VATER: Ich bin dagegen, daß die ihre Positionen dazu mißbrauchen, Unruhe in die Bevölkerung zu tragen.

SOHN: Das hat Fräulein Lehmann zu Charly gesagt. Genau das: daß er mit seinem Artikel nur Unruhe in die Schule trägt.

VATER: Recht hat sie, daß sie euch das abgewöhnt.

SOHN: Die olle Ziege.

VATER: Ich verbitte dir . . .

SOHN: Und bei der bist du Klassenerster gewesen!

Theater / Oper
Hans-Joachim Schyle

Man hört eine Zimmertür schlagen, eine Schranktür knarren, das ungeduldige Aufziehen und Zuschieben von Schubladen, Wäsche rascheln, Schuhe poltern. Vater zieht sich im Schlafzimmer nebenan um.

SOHN: Papa, Charly hat gesagt, sein Vater hat gesagt, in die Oper kriegen ihn keine zehn Pferde mehr.

VATER *aus dem Nebenzimmer:* Bitte? Was hat Charly gesagt?

SOHN: Charlys Vater hat das gesagt.

VATER: Ja, was denn?

SOHN: In die Oper kriegen ihn keine zehn Pferde mehr.

VATER: So, hat er das gesagt? Es will ihm ja auch keiner ein Pferd schicken. Davon versteht er sowieso nichts.

SOHN: Von was? Von Pferden?

VATER *immer noch von nebenan:* Quatsch. Von der Oper, meine ich.

Im Hereinkommen fragt er: Du sag mal, hast du meine Manschettenknöpfe nicht gesehen?

SOHN: Nö. Welche?

VATER: Die goldenen.

SOHN: Die mit dem Löwenkopf?

VATER: Ja. Wo sind die?

SOHN: Weiß ich nicht.

Du Papa, verstehst du eigentlich was von der Oper?

VATER: Na sicher. Seit wir unser Abonnement haben. Aber warum fragst du?

SOHN: Charly sagt, sein Vater, der war mal in der Oper. Ich glaube, da hatte er Freikarten geschenkt bekommen, von einem Kunden. Also, die hatte schon so einen komischen Namen.

VATER: Wie hieß sie denn?

SOHN: Ich komm jetzt nicht drauf. Irgend so was mit Jammertour . . .

VATER: Jammertour?

SOHN *lacht*: Luise auf Jammertour, oder so. Aber ich glaube, die gibt's gar nicht.

VATER *muß ebenfalls lachen*: Lucia di Lammermoor, meist du. Ja, die gibt's.

SOHN: Genau. Aber ich glaube, da hat Charlys Vater nur einen Witz gemacht. Oder Charly.

VATER: Die ist sogar ziemlich bekannt . . .

SOHN: Charlys Vater hat gesagt, er hat kein Wort verstanden. Ihm ist das alles zu hoch.

VATER: Das kann ich mir denken. – In der Oper geht es ja auch mehr um Musik als um Sprechen.

SOHN: Ist Musik was Höheres als Sprechen?

VATER: In gewissem Sinne ja.

SOHN: Die da hingehen, ziehen sich die deshalb immer so fein an? Charlys Vater hat gesagt, ihm sind die Leute auf den Wecker gefallen.

VATER: Das kann ich mir denken. Da paßt Charlys Vater wohl auch nicht so richtig hin.

SOHN: Warum nicht?

VATER: Nun, weißt du, Charlys Vater ist doch eben nur ein einfacher Arbeiter.

SOHN: Stimmt gar nicht. Der ist Facharbeiter. Vorarbeiter sogar.

VATER: Nun gut: Vorarbeiter. Aber das Opernpublikum, das rekrutiert sich eben . . . oder wie soll ich sagen, das sind eben andere Kreise. Da ist man unter sich. Und das spürt Charlys Vater natürlich, daß er da nicht dazugehört. Und deswegen fühlt er sich da auch nicht wohl.

SOHN: Charlys Vater sagt, das sind lauter Snobs, denen man die Dummheit schon am Smokingknopf ansieht.

VATER: Na ja. Was der so unter einem Snob versteht! Aber du, frag doch mal die Mama, ob die nicht weiß, wo meine Manschettenknöpfe sind.

SOHN: Wo?

VATER: Weiß ich doch nicht. Deswegen sollst du ja die Mama fragen.

SOHN: Ich meine: Wo ist die Mama?

VATER: Weiß ich nicht. Im Bad oder in der Diele. Die macht sich fertig.

SOHN: Wo geht ihr eigentlich hin?

VATER: In die Oper. Haben wir dir doch gesagt.

SOHN: Ja. Aber ich meine, in was? In welches Stück?

VATER: Welches Stück? Warte mal. Ja, welches Stück? Moment. Heute ist doch Freitag?

SOHN: Ja.

VATER: Also Freitag. Ja, da gibt es . . . Also entweder den «Lohengrin» oder, oder die «Fledermaus». Wo zum Donnerwetter ist denn die Zeitung?

SOHN: Weiß ich nicht. Du Papa, was ist eigentlich ein Snob?

VATER: Jemand, der Umgang sucht mit Höhergestellten, obwohl

er nicht dazugehört.

SOHN: Das tut Charlys Vater aber nicht.

VATER: Gott sei Dank. Sein Versuch mit der Oper hat ihn wohl kuriert.

SOHN: Charlys Vater sieht lieber fern.

VATER: Na bitte. Das Pantoffelkino. Womöglich den Millowitsch. Paßt auch besser zu ihm.

SOHN: Ja, den Milowitsch und das Ohnsorg-Theater sieht er am liebsten. Charlys Vater sagt, da kann er wenigstens lachen. Oper findet er stinklangweilig.

VATER: Das ist aber auch ein Vergleich!

SOHN: Was für ein Vergleich?

VATER: Na, den Millowitsch mit der Oper zu vergleichen. Das geht doch einfach nicht.

SOHN: Aber der Millowitsch ist doch ganz ulkig.

VATER: Ulkig vielleicht. Aber das hat doch nichts mit Kunst zu tun. Charlys Vater versteht eben nichts von Musik. Deswegen mag er keine Oper.

SOHN: Was muß man denn da verstehen?

VATER: Na, schau mal, die Mama, die hat zum Beispiel, bevor wir geheiratet haben, an der Universität Musikgeschichte studiert, nicht ganz zu Ende, aber doch ein paar Semester. Die kennt sich doch aus in der Musik, auch weil wir das Klavier haben. Da kann sie doch mitreden.

SOHN: Und du?

VATER: Na ja, ich auch. Nicht so gut wie deine Mutter, natürlich. Ich gehe ja auch schon mal ganz gern ins Theater, also ins Schauspiel.

SOHN: Aber oft geht ihr doch nicht.

VATER: Oft nicht. Da wird ja auch so viel neumodisches Zeug gespielt, das mag ich nicht so. Und dann diese jungen Leute mit den Cordhosen und Rollkragenpullovern – wie die heute ins Theater gehen . . .

SOHN: Sind das auch solche «Kreise»?

VATER: Was für Kreise?

SOHN: Na, wie in der Oper: Wo man unter sich ist.

VATER: Ja, vielleicht. Aber die wichtigen Gastspiele haben wir fast alle gesehen. Neulich mit Will Quadflieg und vorher Walter Giller . . .

SOHN: Den kenn ich. Ist das der mit dem verknautschten Gesicht?

VATER: Ja. Woher kennst du den?

SOHN: Na, vom Fernsehen. War der gut?

VATER: Ja. Schon.

SOHN: Und warum geht ihr nicht öfter ins Theater?

VATER: Wir gehen ja. Und wir sehen ja auch viel im Fernsehen. Außerdem haben wir eben das Opern-Abonnement.

SOHN: Was ist eigentlich ein Abonnemang?

VATER: Abonnement. Nun, das ist eben die Theater- oder Opern-miete. Also, da kauft man am Anfang einer Spielzeit, also wenn das Theater losgeht, ein Abonnement, und dann kann man im Laufe des Jahres alle Stücke sehen, die gegeben werden.

SOHN: Alle? Auch was blöd ist?

VATER: Was heißt blöd? Beim Opern-Abonnement sind das eben die Opern, auch Operette und Ballett. Aber das kann man sich ja auch aussuchen oder man kann tauschen.
Außerdem hat so ein Abonnement auch eine Menge Vorteile.

SOHN: Was für Vorteile?

VATER: Nun, man hat zum Beispiel immer denselben Platz. Die Karten sind auch billiger als an der Theaterkasse. Und man weiß vorher eben immer schon, welche Stücke kommen.

SOHN: Weißt du doch gar nicht.

VATER: Natürlich weiß ich das.

Sohn: Aber nicht heute abend. Hast du selber gesagt.

Vater: Ja, weil ich die Zeitung nicht finden kann. Deshalb sollst du ja die Mama fragen. Geh jetzt endlich!

Sohn: Ja. Ich geh ja schon.

Vater: Und frag sie auch, wo meine Manschettenknöpfe sind!

Solange der Sohn weg ist, sucht der Vater weiter die Manschettenknöpfe. Er reißt Schubladen auf und schiebt sie krachend wieder zu.

Sohn *kommt wieder herein*: Die Mama weiß es auch nicht. Sie meint, es gibt die «Fledermaus». Oder Verdi. Du sollst mal in der Zeitung nachsehen.

Vater: Ja, wenn die verdammte Zeitung da wäre! Und wo sind meine Manschettenknöpfe?

Sohn: Weiß Mama auch nicht. Sie sagt, da wo sie immer sind. In deinem Nachttisch.

Vater: Da habe ich doch schon geguckt.

Er geht wieder ins Schlafzimmer, reißt erneut Schubladen auf und zu.

Sohn: Du Papa, wenn Opern was Höheres sind, mit wem redet ihr dann eigentlich darüber, du und Mama?

Vater: In der Pause oder nach der Vorstellung trifft man sich doch mit Bekannten, dann trinkt man was und redet . . .

Sohn: Mit wem?

Vater: Na, zum Beispiel mit Doktor Eberbach und seiner . . .

Sohn: Deinem Chef?

Vater: Ja. Den Eberbachs oder den Heßlingers, dem Fabrikanten und seiner Frau, wer eben gerade da ist. Manchmal kommen sogar Künstler an unseren Tisch.

SOHN: Die können alle darüber reden?

VATER: Besser sogar als wir.

SOHN: Weil die höhergestellt sind?

VATER: Hör mal, worauf willst du denn hinaus? Willst du vielleicht sagen, daß ich ein Snob bin?

SOHN: Nö, du doch nicht.

Kirche
Ingrid Hessedenz

Vater und Sohn befinden sich auf einer Stadtautofahrt. Sie halten
vor einer roten Ampel.

SOHN: Papa, Charly hat gesagt, sein Vater hat gesagt, Religions-
unterricht wäre nicht so wichtig.
VATER: Der ist wohl Atheist, was.
SOHN: Gelb.
VATER: Man wartet, bis es grün ist.
SOHN: Grün.

Das Auto fährt an.

Was ist denn Atheist?
VATER: Einer, der nicht an Gott glaubt.
SOHN: Wieso ist . . .
VATER: Das verstehst du noch nicht.
SOHN: Aber wieso ist . . .
VATER: Also gut. Ein Theist ist einer, der an Gott glaubt. Folglich
ist ein Atheist einer, der nicht an Gott glaubt.
SOHN: Nein. Wieso glaubt Charlys Vater nicht an Gott?

VATER: Mein Gott, woher soll ich denn das wissen!

SOHN: Das hat Charly nämlich nicht gesagt, daß sein Vater nicht an Gott glaubt.

VATER: Dann soll er verdammt noch mal Charly nicht solche Sachen erzählen und Charly nicht dir.

SOHN: Was ist denn schon dabei, wenn er das sagt. Rot.

Das Auto steht.

Charly hat nur gesagt, sein Vater hat gesagt, wenn er keine Lust hat, braucht er nicht in Religion zu gehen. Gelb.

VATER: Man wartet bis es grün ist. Jetzt.

Das Auto fährt an.

Du gehst auf jeden Fall in den Unterricht. Du gehst ja auch in die Kirche.

SOHN: Mit euch.

VATER: Natürlich gehst du mit uns. Deine Eltern glauben an Gott und erziehen dich so. Charlys Vater sollte sich schämen, Charly davon abzuhalten, in die Kirche zu gehen.

SOHN: Wenn Charly doch keine Lust dazu hat!

VATER: Mein Gott, Charly kann doch meinetwegen machen, was er will. Aber du nicht.

SOHN: Wieso?

VATER: Weil du mein Sohn bist. Du glaubst an Gott, und folglich gehst du auch mit in die Kirche.

SOHN: Ich hab aber keine Lust mehr.

VATER: Weil Charly keine Lust hat!

SOHN: Nein, weil das so langweilig ist.

VATER: Siehst du, und deshalb hast du Religionsunterricht, damit du alles verstehst und es dir dann nicht mehr langweilig ist.

SOHN: Du hast dich falsch eingeordnet.

VATER: Na und?

SOHN: Wieso glaubst du denn an Gott?

VATER: Was? Weil es ihn gibt – ganz einfach.
Jetzt sieh dir diesen VW an! Der fährt ja wie besoffen! Sollen doch mit der Straßenbahn fahren, diese Künstler!

SOHN: Woher weißt du, daß es ihn gibt?

VATER: Jeder, der ein bißchen nachdenkt, weiß das. Wer sollte denn die Welt erschaffen haben?

SOHN: Und die Kirche hat er auch erschaffen?

VATER: Ja, die hat er auch erschaffen.

SOHN: Da ist ihm aber nicht viel eingefallen.

VATER: Aber Michael!

SOHN: Ist doch wahr. So 'n Laden, wie das ist! Gestern hat unser Klassenlehrer dem Charly eine Strafarbeit gegeben, obwohl er überhaupt nichts gemacht hat. Und da hat Charly in der Pause über den Schaller geschimpft und hat gesagt, er beschwert sich. Und das hat der Herr Pfarrer gehört und hat Charly ausgeschimpft und hat gesagt: Herr Schaller hätte sicher recht, und er darf nicht über Herrn Schaller schimpfen und muß ihn ehren!

VATER: Da hat der Herr Pfarrer recht.

SOHN: Nein.

VATER: Glaubst du. Aber . . .

SOHN: Nein, weiß ich.
Wieso glaubst du denn, daß Gott die Kirche erschaffen hat?

VATER: Weil es so geschrieben steht, und weil es so richtig ist.

SOHN: Ich will aber glauben, was ich will.

VATER: So weit kommt es noch.

Aggressiv knallt der Vater den Gang ein.

Geht es da nach rechts oder links?
SOHN: Weiß nicht.
VATER: Ich glaube, das letzte Mal sind wir rechts gefahren.
SOHN: Das ist falsch. Hier steht's.

Der Wagen bremst.

VATER: Drehen wir eben um.
SOHN: Du hast aber geglaubt, es wäre richtig.
VATER: Ja. Ich habe mich eben geirrt.
SOHN: Und bei der Kirche irrst du dich nicht?
VATER: Michael!!

Vollbremsung! Zu spät – es hat gebumst.

Verdammt! Kann der denn nicht aufpassen!

Hausbesetzung
Hermann Naber und Bernd Lau

Vater spricht aus Prinzip nur Deutsch.

SOHN: Papa, Charly hat gesagt . . .

VATER: Heißt der Junge nicht Karl? Ist doch ein schöner deutscher Name.

SOHN: Nö. Franz heißt er, glaub ich. Aber alle sagen Charly zu ihm.

Warum, weiß ich auch nicht.

VATER: Seine Familie hat doch früher mal gegenüber von den Amerikanern gewohnt?

SOHN: Wohnen die immer noch.

VATER: Aha.

SOHN: Was aha, Papa?

VATER: Denk doch mal nach. Da hat er mit amerikanischen Kindern gespielt, du weißt ja, die heißen alle Teddy, Dickie oder Robbie, und die haben ihn dann einfach Charly genannt, weil sie Franz nicht aussprechen können. Aber daß seine Eltern so was durchgehen lassen . . .

SOHN: Du, Papa, da wohnen aber gar keine amerikanischen Kinder mehr, auch keine amerikanischen Erwachsenen. Da wohnen jetzt Italiener.

VATER: Italiener?

SOHN: Und die wollen da auch nicht mehr weg. Wenn die Polizei kommt, verrammeln die einfach die Türen, hat Charly gesagt.

VATER: Ach, da ist das, wo diese Gastarbeiter die Häuser besetzt haben . . .
Die sollen nur so weitermachen . . . dann wundern sie sich noch, warum sie bei der deutschen Bevölkerung nicht beliebter werden.

SOHN: Charly hat gesagt, daß die das machen, geht völlig in Ordnung.

VATER: Das hat er von seinem Vater! Recht und Gesetz haben den Herrn ja noch nie sonderlich interessiert. Der Junge wird es mal schwer haben . . . bei so einer Erziehung.

SOHN: Wie macht man das überhaupt, ein Haus besetzen?

VATER: Das macht man überhaupt nicht! Das ist nämlich strafbar! Man kann nicht einfach in ein fremdes Haus gehen, ohne etwas zu bezahlen und sagen, hier bleib ich.

SOHN: Aber wenn's doch leer steht und man sonst keine Wohnung kriegt.

VATER: Stell dir mal vor, wir fahren in Urlaub. Und wenn wir zurückkommen, haben irgendwelche Leute unser Haus besetzt, nur weil keiner drin war.

SOHN: Aber das sieht doch jeder, daß hier jemand wohnt. Und außerdem schließen wir die Haustür doch immer ab, wenn wir in Urlaub fahren.

VATER: So! Glaubst du, in der Amerikanersiedlung waren die Türen nicht abgeschlossen? Einfach aufgebrochen haben sie die. Und das findet Charlys Vater richtig! Anzeigen müßte man den . . .

SOHN: Schon wieder?

VATER: Die eignen sich etwas an, was ihnen nicht gehört und wofür sie keinen Pfennig bezahlen!

SOHN: Du, Papa, eigentlich hat das gar nicht Charlys Vater gesagt, jedenfalls nicht zuerst. Das hat ein Student gesagt, dem hat Charlys Vater das Auto repariert.

VATER: Das wird ja immer schöner. Der Herr Student besitzt ein Auto, das er immer fein abschließt, und wenn es geklaut wird, rennt er zur Polizei . . .

SOHN: Das würdest du doch auch machen, wenn dir einer dein Auto klaut.

VATER: Und ob ich das machen würde! Aber ich verwahre mich auch dagegen, daß man Häuser klaut. Diese Herren Studenten, die finden das auch noch schick. Weil man Barrikaden baut . . . diese . . . diese . . .

SOHN: Häuser klaut ist gut.

VATER: Genau darum handelt es sich. Oder kannst du mir den Unterschied zwischen klauen und besetzen erklären?

SOHN: Nö.

VATER: Na also. Endlich hast du's begriffen.

SOHN: Papa, die nehmen die Häuser aber gar nicht mit. Und leer stehen sie auch. Und gehören tun sie auch keinem.

VATER: Gehören keinem? Du willst doch wohl nicht behaupten, daß es irgend etwas gibt, das keinem gehört?

SOHN: Alles, was es gibt, gehört jemand?

VATER: Jetzt stell dich nicht dümmer als du bist.

SOHN: Na ja. Sogar die Wiese gegenüber gehört jemand. Deswegen dürfen wir nicht mehr Fußball drauf spielen. Ein Schild haben sie aufgestellt, soll jetzt ein Bauplatz sein. Aber kümmern tut sich keiner drum.

VATER: Woher willst du wissen, ob da nicht morgen schon angefangen wird mit Bauen?

SOHN: Dann könnten sie das Spielen ja ab morgen verbieten. Jetzt steht das Schild aber schon seit . . . wart mal . . . seit vier Monaten.

VATER: Vielleicht fehlt's noch am Geld, oder sie haben andere Schwierigkeiten, daß sich das Bauen verzögert. Jedenfalls haben sie bald vor, den Bauplatz zu nutzen, deswegen ist er gesperrt.

SOHN: Und du meinst, genauso ist das mit der Amerikanersiedlung?

VATER: Was genauso?

SOHN: Na ja, daß die auch was mit der Amerikanersiedlung vorhaben?

VATER: Natürlich. Und wenn diese lausigen Gastarbeiter aus den Häusern nicht rausgehen, dann kann keiner anfangen mit der Arbeit. Deswegen sollte die Polizei mal nicht so zimperlich sein.

SOHN: Du, Papa, was meinst du denn, was die damit vorhaben könnten?

VATER: Ich könnte mir zum Beispiel vorstellen, daß da mit ein paar Umbauten moderne Wohnblocks draus werden.

SOHN: Ach so, jetzt versteh ich. Deswegen reißen die auch die Rohre raus, wo das ganze Wasser drin ist?

VATER: Wie bitte?

SOHN: Ja. Die elektrischen Leitungen werden auch alle abgeschnitten, und die Fensterscheiben werden eingeschmissen.

VATER: Woher hast du das denn?

SOHN: Von Charly; der war sogar dabei, als sie eine Treppe kaputtgeschlagen haben, jetzt kann keiner mehr hoch. Aber das machen die bloß in den Häusern, wo die Italiener noch nicht drin sind, in die anderen kommen sie ja nicht hinein.

VATER: Hm.

SOHN: Du Papa, kannst du nicht Charlys Vater mal anrufen und ihm sagen, daß sie das bloß machen, damit sie moderne Wohnblocks daraus machen können?

VATER: Ich werd mich hüten, was geht mich Charlys Vater an.

SOHN: Aber einer muß es ihm doch sagen. Weißt du, der glaubt nämlich, die machen bloß alles kaputt, damit keiner mehr die Häuser besetzen kann. Und das wär ja blöd, wenn sie die Wohnungen kaputtmachen, damit keiner mehr drin wohnen kann, wo jetzt doch sowieso keiner drin wohnt.

VATER: Hör mal, mein Junge . . . vielleicht haben sie ja auch etwas anderes damit vor . . .

SOHN: Was denn?

VATER: Vielleicht wollen sie die Häuser ja auch abreißen und etwas ganz Neues dort hinbauen. Eine Fabrik zum Beispiel.

SOHN: Wenn man ein Haus abreißen will, damit da was anderes hinkommt, fängt man dann bei der Treppe an?

VATER: Das nicht gerade . . .

SOHN: Papa? Du, ich glaube, dann hat Charlys Vater doch recht.

VATER: Sag mal, das ist doch . . . hörst du mir denn eigentlich gar nicht zu?

Charlys Vater hat in jedem Falle unrecht. Auch wenn die Besitzer ihre Häuser nur unbewohnbar machen, damit niemand, der nichts bezahlt, sich darin breitmachen kann, dann ist das ganz allein ihre Sache. Jeder kann mit seinem Eigentum machen, was er will.

SOHN: Aber das wäre doch gut; wenn einer keine Wohnung hat, zieht er ein, wo sowieso keiner wohnt.

VATER: Ich hab dir doch gesagt, das ist Diebstahl, wenn man sich fremdes Eigentum aneignet!

SOHN: Wieso? Das Haus ist doch noch immer da, die klauen das doch nicht, und verstecken können sie es sowieso nicht.

VATER: Aber der Besitzer kann nicht mehr darüber verfügen.

Praktisch gehört es ihm also nicht mehr.

SOHN: Gehört ihm nicht mehr? Klar gehört's ihm noch. Er braucht es bloß nicht im Augenblick, sonst würde er ja drin wohnen, oder jemand anders. Und wenn er es nicht braucht, warum kann denn da keiner drin wohnen, der es braucht.

VATER: Jetzt hör mir mal gut zu . . . Ach was, mit dir kann man über solche Sachen nicht reden. Du plapperst einfach drauflos, ohne nachzudenken.

SOHN: Charlys Vater sagt, daß die meisten Leute ihre Häuser gar nicht brauchen, wenn sie welche bauen. Und daß sie auch gar nicht selber drin wohnen.

VATER: Da hast du's wieder, wie du alles nachplapperst. Das ist doch eine Behauptung, die du überhaupt nicht nachprüfen kannst.

SOHN: Muß ich das denn nachprüfen, wenn Charlys Vater was sagt? Warum muß ich denn das nachprüfen?

VATER: Weil Charlys Vater keine Ahnung hat. Der kann ja nichts dafür.

Aber solche Behauptungen muß man erst mal statistisch beweisen, bevor man sie aufstellen kann.

SOHN: Was ist denn das, statistisch?

VATER: Hör mal, du weißt doch, was eine Statistik ist.

SOHN: Da wird alles zusammengerechnet.

VATER: Ganz genau. Wenn man alle Häuser, in denen die Eigentümer wohnen, zusammenzählt, und dann die anderen, in denen die Eigentümer nicht drin wohnen, dann ist das eine Statistik. Eine kleine. Und ich bezweifle, daß das, was Charlys Vater behauptet, dann herauskommt.

SOHN: Charly glaubt, das stimmt, was sein Vater sagt.

VATER: Glaubst du mir etwa nicht?

SOHN: Na klar, glaube ich dir.

VATER: Und wenn ich nun das Gegenteil sage von dem, was Charlys Vater sagt? Glaubst du mir dann auch?

SOHN: Jaaaaaa . . . kannst du es denn beweisen?

VATER: Sag mal, du spinnst wohl!

SOHN: Ich mein ja nur . . . statistisch.

VATER: Rrraus!

Resozialisierung
Eugen Helmlé

SOHN: Papa, Charly hat gesagt, sein Vater hat gesagt, die in der Gewerkschaft hätten gesagt . . .

Die beiden gehen durch eine nicht allzu belebte Straße.

VATER: Hätten gemeint oder zum Ausdruck gebracht. Wie kann man dreimal zueinander sagen . . .

SOHN: Meinen.

VATER: Sagen, natürlich. Also was hat Charlys Vater in der Gewerkschaft aufgeschnappt?

SOHN: Daß Geisteskranke oft wie Verbrecher behandelt werden. Charly hat gesagt, sein Vater hat gesagt, wir hätten ein stures Strafrecht.

VATER: Jetzt sieh sich einer diese Type an! Braust mit mindestens siebzig Sachen durch die Stadt! Kein Wunder, daß da ständig was passiert. Einsperren sollte man die Brüder!

SOHN: Waren aber höchstens sechzig, Papa, wenn überhaupt.

VATER: Du als Experte mußt das ja wissen.

SOHN: Was ist denn ein Experte?

VATER: Ein Experte ist ein Sachverständiger, einer, der was von einer bestimmten Sache versteht.

Wie Charlys Vater zum Beispiel vom Strafrecht. Und warum soll das stur sein bei uns? Hat das Charlys Vater auch gesagt?

SOHN: Weil, wenn jemand, der was angestellt hat, ich weiß nicht, vielleicht jemanden umgebracht oder so, dann kommt er erst zehn Jahre ins Kittchen und dann in die Klapsmühle.

VATER: Ja und?

Soll man ihn vielleicht laufenlassen?

SOHN: Weiß ich auch nicht. Ich glaub es nicht. Charlys Vater sagt, wenn jemand einen umbringt, dann ist er ein Verbrecher und gehört hinter Schloß und Riegel.

VATER: Ist doch meine Rede. Und Charlys Vater scheint da mal ausnahmsweise meiner Meinung zu sein. Charly hat dich wohl falsch informiert über das, was sein Vater gemeint hat.

SOHN: Hat er wohl nicht. Weil, wenn jemand in die Klapsmühle kommt, dann ist er verrückt, und Verrückte, sagt Charly, gehören nicht ins Kittchen.

VATER: Humanitätsduselei!

Auf die Tour könnte sich jeder Verbrecher darauf herausreden, daß er nicht zurechnungsfähig ist.

SOHN: Ist das, wenn einer nicht rechnen kann?

VATER: Ja, das auch.

SOHN: Und dann wird er nicht eingesperrt?

VATER: Sicher wird er eingesperrt. So jemand kann man doch nicht frei herumlaufen lassen. Aber er kommt halt nicht ins Gefängnis, sondern ins Irrenhaus.

SOHN: Hat er's dort besser?

VATER: Das kann man nicht sagen. In beiden Fällen wird jeweils ein anderer Zweck verfolgt, verstehst du?

SOHN: Und wo ist der Unterschied?

VATER: Ja siehst du, das Gefängnis ist eine Strafanstalt, das heißt, der Verbrecher wird dort für seine Tat bestraft, das Irrenhaus hingegen ist eine Heilanstalt, wo Kranke geheilt werden.

SOHN: Sind Verrückte Kranke?

VATER: Natürlich sind Verrückte Kranke.

SOHN: Und wenn sie jemanden umgebracht haben, sind sie dann nicht mehr krank?

VATER: Doch, das sind sie schon, deshalb kommen sie ja auch ins Irrenhaus.

SOHN: Und einer, der jemand umbringt und nicht verrückt ist, der kommt ins Gefängnis.

VATER: So ist es.

SOHN: Aber wenn einer nicht verrückt ist, warum kommt er dann aus dem Kittchen ins Irrenhaus? Oder ist er erst im Kittchen verrückt geworden?

VATER: Woher soll ich das wissen! Die Behörden werden schon wissen, was sie tun, wenn sie einen Strafgefangenen aus dem Gefängnis in die Irrenanstallt überweisen.

SOHN: Machen die immer alles richtig?

VATER: Meistens.

SOHN: Also nicht immer.

VATER: Na ja, auch Behörden können sich mal irren.

SOHN: Wieso?

VATER: Weil irren menschlich ist.
Komm, wir müssen auf die andere Straßenseite.

SOHN: Sind Behörden menschlich?

VATER: Nein. Doch, natürlich. Ich meine, auch auf den Behörden sitzen nur Menschen, die sich wie alle Menschen auch mal irren können.

SOHN: Dann haben Behörden nicht immer recht?

VATER: So pauschal kann man das nicht sagen. Es kommt vor, ja. Aber das ist so selten, daß es kaum der Erwähnung bedarf.

SOHN: Und wenn nun einer nach dem Kittchen ins Irrenhaus kommt, haben sich dann die Behörden geirrt? Du, Papa, dann müßten die ja auch ins Irrenhaus, weil sie sich irren.

VATER: Ach, Unsinn, du verwechselst das mal wieder. Außerdem ist die Überweisung eines Straftäters nach Verbüßung seiner Haftstrafe in eine Irrenanstalt Sache des Strafrechts, beruht also nicht auf einem Irrtum der Behörden.

SOHN: Ach so. Wird er dort geheilt, in der Irrenanstalt?

VATER: Ja, soweit das überhaupt möglich ist.

SOHN: Aber warum wird ein Verrückter zuerst bestraft, bevor er geheilt wird? Du hast doch vorhin selbst gesagt, Verrückte sind Kranke.

VATER: Weil im Interesse von Sicherheit und Ordnung eine Bestrafung und strenge Behandlung unbedingt notwendig sind. Deshalb.

SOHN: Aber Charlys Vater sagt, das ist gar nicht in Ordnung.

VATER: Charlys Vater, was der schon sagt. Wer Schuld auf sich geladen hat, muß bestraft werden. Wo kämen wir sonst hin! Wenn da nicht scharf durchgegriffen wird, haben wir bald das Chaos. Und wie bei dem da drüben fängt es meistens an. Parkt einfach im Halteverbot. Während wir den weiten Weg vom Parkplatz in die Innenstadt zu Fuß zurücklegen. Keinen Funken Verantwortungsgefühl haben diese Elemente.

SOHN: Du, Papa, krieg ich ein Kaugummi?

VATER: Nein.

SOHN: Warum nicht?

VATER: Weil das unappetitlich ist. Vor allem, wenn du das Zeug überall hinklebst.

SOHN: Deine Pfeife ist auch unappetitlich. Hat Mama selbst gesagt. Überall schmierst du deine Tabaksbrühe hin.

VATER: Findest du nicht, daß du mal wieder ein bißchen zu vorlaut bist?

SOHN: Ich darf nie was sagen.

Papa, können Verrückte auch im Gefängnis behandelt werden?

VATER: Nein, das können sie nicht. Aber dazu kommen sie ja später in die Nervenheilanstalt.

SOHN: Ist das dasselbe wie ein Irrenhaus?

VATER: Ja.

SOHN: Warum kommen sie dann nicht gleich dorthin?

VATER: Jetzt versuche ich schon die ganze Zeit, dir das zu erklären. Ein Geisteskranker, der ein Verbrechen begangen hat, muß zunächst einmal wie ein Verbrecher behandelt werden, weil es für das gesunde Volksempfinden einfach unerträglich ist, wenn solche Unholde nicht die volle Wucht des Gesetzes trifft.

SOHN: Sind Verrückte Unholde?

VATER: Verrückte sind Verrückte, aber wenn so ein Verrückter ein Verbrechen begeht, dann muß er doch für jeden normaldenkenden Menschen zum Unhold werden. Und deshalb bin ich dafür, daß auch der geisteskranke Täter zur Abgeltung eines begangenen Unrechts seine Strafe absitzen muß. Allein schon zur Abschreckung.

SOHN: Aber Charly sagt, es ist sinnlos, einen Verrückten zu bestrafen.

VATER: So? Und darf man auch wissen, wie Charly oder sein Vater diese Meinung begründen?

SOHN: Ja, Charly sagt, sein Vater sagt, ein Verrückter weiß ja nie, wofür er bestraft wird, deshalb ist er ja verrückt, und deshalb muß er ins Irrenhaus.

VATER: Charly sagt, sein Vater sagt, weißt du, was die beiden sagen, davon halte ich nicht viel. Man muß diese Sachen auch mal von der anderen Seite her sehen. Diese schwachsinnigen

Verbrecher sind doch häufig gewalttätig, deshalb sind sie ja auch Verbrecher geworden, weshalb sie für eine Nervenanstalt ganz einfach eine Belastung sind.

SOHN: Sind sie das nicht mehr, wenn sie aus dem Gefängnis kommen?

VATER: Und ob! Glaub mir, wenn's nach mir ginge, kämen die nicht mehr aus dem Gefängnis raus. Das schadet denen nämlich gar nichts, wenn sie mal ein bißchen härter angefaßt werden.

SOHN: Dann bist du also auch nicht dafür, daß sie erst ins Kittchen und dann ins Irrenhaus kommen?

VATER: Nein, gewiß nicht. Und ich kann dir auch sagen, warum. Weil nämlich die Behandlung bei denen völlig aussichtslos ist. Alles rausgeworfenes Geld. Schließlich, und das darf man nicht vergessen, geht's auch um unsere Steuergroschen.

SOHN: Aber wenn du nicht dafür bist, daß sie zuerst ins Gefängnis und dann in die Irrenanstalt kommen, dann sagst du ja dasselbe wie Charlys Vater.

VATER: So, sage ich das?

SOHN: Ja, und dann sagst du doch auch, daß unser Strafrecht stur ist, wie Charlys Vater sagt.

VATER: Diese ewige Sagerei! Ich geb überhaupt nichts zu. So weit kommt's noch. Hier ist unser Laden. Da müssen wir rein, komm.

SOHN: Was du zum Ausdruck bringst, ist aber auch ganz schön stur, Papa.

Paragraph 175
Margarete Jehn

SOHN: Papa, Charly hat gesagt, sein Vater hätte eine ganz un-
heimliche Wut auf Herrn Ellering.

VATER: So, warum denn?

SOHN: Weiß ich nicht. Aber Charly kriegt jetzt keine Nachhilfe-
stunden mehr von ihm. Der darf ihm nicht mehr ins Haus
kommen, sagt Charlys Vater. Charlys Vater sagt, der Ellering
gehört in ein Arbeitslager.

VATER: Na, da hat Charlys Vater sich wohl ziemlich im Ton
vergriffen. Mit solchen Äußerungen sollte er aber vorsichtiger
sein.

SOHN: Na ja, er hatte eben Wut, nicht.

VATER: Und Charly kann sich gar nicht denken, warum sein Vater
solche Wut auf Herrn Ellering hat?

SOHN: Nö. Charlys Vater hat nur gesagt, Herr Ellering wäre ein
Homo.

VATER: Ein was?

SOHN: Ein Homo.
Charly weiß auch nicht, was das ist. Weißt du, was ein Homo
ist? Gehört der zu irgendeiner Bande oder so? Weil Charlys
Vater gesagt hat, es wäre schade, daß solche Typen heutzutage

nicht mehr auf dem schnellsten Weg ins Gefängnis wandern. Und ins Gefängnis kommen doch nur Banditen – oder? Ist ein Homo nun ein Bandit?

VATER: Das kann man wohl nicht so sagen.

SOHN: Aber was ist denn ein Homo? Warum hat Charlys Vater denn so eine Wut auf Herrn Ellering?

VATER: Ein Homo ist ein Homosexueller.

SOHN: Und was ist ein Homosexueller?

VATER: Ein Homosexueller ist . . . na ja: Homosexualität ist gleichgeschlechtliche Liebe.

SOHN: Und was ist das, gleichgeschlechtliche Liebe?

VATER: Na, wenn man zum Beispiel als Mann keine Frau, sondern einen anderen Mann liebt.

SOHN: Oma sagt immer, es gibt zuwenig Liebe auf der Welt. Warum soll ein Homo denn dann ins Gefängnis?

VATER: Das kann ich dir nun wirklich nicht erklären. Das verstehst du einfach noch nicht.

SOHN: Warte mal! Ich glaub, ich weiß es.

VATER: Nichts weißt du.

SOHN: Vielleicht . . . nee, doch nicht! Kommt Herr Ellering denn jetzt ins Gefängnis?

VATER: Unsinn!

SOHN: Kommt er denn in ein Lager, wo er immer arbeiten muß?

VATER: Ach was!

SOHN: Aber wenn Charlys Vater das doch sagt?

VATER: Charlys Vater kann viel sagen. Da weiß er eben einfach nicht Bescheid.

SOHN: Magst du Homos gern?

VATER: Das kann man nun auch wieder nicht sagen.

SOHN: Aber du willst nicht, daß Herr Ellering ins Gefängnis kommt, oder?

VATER: Nun hör doch endlich mit deinem Gefängnis auf! Homosexuelle werden heutzutage nicht mehr bestraft. Die Homosexuellen sind nämlich seelisch krank, und man muß ihnen helfen.

SOHN: Wo ist man denn krank, wenn man seelisch krank ist?

VATER: Da, wo man es nicht sieht. Früher kriegten sie Strafe, wenn man dahinterkam, daß sie so waren. Aber das Gesetz ist geändert worden. Wir leben Gott sei Dank in einem Staat, der sich um Toleranz bemüht.

SOHN: Was ist das denn, Toleranz?

VATER: Wenn man andere gelten läßt, so wie sie sind.

SOHN: Warum kann denn dann Charlys Vater Herrn Ellering nicht so lassen wie er ist?

VATER: Charlys Vater ist eben ein einfacher Mann, der keine Lust und wahrscheinlich auch keine Zeit hat, über andere Leute nachzudenken.

SOHN: Aber der denkt doch die ganze Zeit darüber nach, wie schade es ist, daß Herr Ellering nicht ins Gefängnis kommt.

VATER: Sieh mal, Charlys Vater hat irgendwann mal gehört, ein Homosexueller ist ein gefährlicher oder ein unsauberer Mensch – früher war man nämlich der Meinung –, tja, er hört das und denkt gar nicht weiter darüber nach. Er übernimmt das einfach so und will dann mit solchen Leuten nichts mehr zu tun haben – ist doch ganz klar.

SOHN: Und du, hast du so was nie gehört?

VATER: Doch, ich hab das auch gehört. Aber ich lese mehr als Charlys Vater, ich bin besser informiert. Und da lese ich eines Tages, in unserem Land werden Homosexuelle nicht mehr bestraft. Und da muß ich mir doch sagen, die Leute, die das Gesetz verändert haben, die müssen doch darüber Bescheid wissen, weil sie Fachleute sind, Ärzte und so, und dann sage ich mir: Wenn der Staat sich tolerant verhält, dann mußt du als verantwortungsbewußter Staatsbürger es erst recht tun.

SOHN: Ist Charlys Vater denn kein Staatsbürger?

VATER: Doch, natürlich ist er das.

Aber er weiß eben über viele Dinge nicht Bescheid.

SOHN: Kannst du denn nicht mal zu Charlys Vater gehen und ihm sagen, daß ein Homo gar kein schlimmer Mensch ist, damit der nicht mehr so eine Wut auf Herrn Ellering hat? Charly war nämlich so froh – Herr Ellering hat ihn von 'ner Vier auf 'ne Zwei gebracht.

VATER: Nee, mein Junge, es ist nun wirklich nicht meine Aufgabe, Charlys Vater über so was aufzuklären. Wo kämen wir da hin!

SOHN: Wem seine . . .

VATER: Wessen.

SOHN: Wessen Aufgabe ist es denn? Muß der Staat das nicht machen, wenn er vorher allen Leuten sagt, ein Homo ist ein schlimmer Mensch, und dann überlegt er sich das irgendwann und sagt was ganz anderes? Da müßte er doch den Staatsbürgern Bescheid sagen, oder?

VATER: Jeder Staatsbürger hat die Möglichkeit, sich zu informieren.

SOHN: Aber wenn er doch nicht soviel liest?

VATER: Dann kann er Radio hören oder fernsehen.

SOHN: Und wenn er das Radio oder den Fernseher da gerade nicht an hat, wenn die was über Homos sagen? Warum bringt denn das Fernsehen so was nicht ein paar Wochen hintereinander jeden Tag, bis es alle wissen.

VATER: Junge, das ist doch gar nicht möglich. Die Leute würden sich schön bedanken, wenn sie jeden Tag was über Homosexuelle hören müßten.

SOHN: Wieso, das braucht doch nicht viel zu sein, bloß ganz kurz, so eine Art Reklame. Über Schnaps oder Parfum oder so reden die doch auch immerzu. Irgendwann müssen die doch auch mal Reklame dafür gemacht haben, daß die Homos Banditen wären, sonst würden das doch nicht alle Leute wissen.

VATER: Also komm, nun hör mal auf zu spinnen. Darüber laß man andere nachdenken. Nimm dir vor, dich allen Leuten gegenüber verständnisvoll zu verhalten. Und sei froh, daß du ein so tolerantes Elternhaus hast. Da bist du viel besser dran als Charly.

SOHN: Wieso. Charly ist das ganz egal, wie seine Eltern sind. Charly mag Herrn Ellering immer noch ganz gern. Und was sein Alter sagt, ist ihm egal, sagt er. Wir wollen Herrn Ellering morgen besuchen.

VATER: Das schlagt euch mal schnell wieder aus dem Kopf!

SOHN: Warum denn?

VATER: Wenn Charlys Vater Charly den Umgang mit Herrn Ellering verbietet, dann ist es wohl besser, wenn Charly gehorcht.

SOHN: Aber das tut Charlys Vater doch nur, weil er nicht aufgeklärt ist.

Dann geh ich eben allein hin.

VATER: Das tust du nicht!

SOHN: Warum denn nicht?

VATER: Weil ich es nicht will.

SOHN: Warum willst du das denn nicht, du bist doch tolerant.

VATER: Ich habe es nicht nötig, dir darüber Rechenschaft abzulegen. *Etwas friedlicher:* Ich will eben nicht, daß du das ganze Stück allein durch den Park gehst.

SOHN: Dann geh ich eben mit Charly. Und dann erzähl ich Charlys Vater, was du mir über die Homos gesagt hast.

VATER: Untersteh dich!

SOHN: Warum denn nicht? Du hast doch mal gesagt, Herr Ellering wäre dir sehr, sehr sympathisch.

VATER: Untersteh dich, auch nur ein Wort zu Charlys Vater zu sagen!

SOHN: Oder ich könnte . . .

VATER: Du hältst jetzt den Mund!

SOHN: Ich sage ihm einfach, du wärst auch ein Homo, dann glaubt er bestimmt, daß die keine Banditen sind.

Popmusik macht heiter
Joachim Mock

SOHN: Papa – Papa, Charly hat gesagt, seine Schwester hat gesagt, Rock ist in.

Es ertönt laute Rockmusik.

VATER: Muß das sein? – Stell mal sofort das Radio ab – hörst du!
SOHN: Ist das kein Rock?
VATER: Rock oder Hose, du stellst das Radio ab. Ist das klar?! Die Meiers werden sich bedanken für den Krach.

Der Sohn fügt sich mürrisch.

SOHN: Ja, doch!
VATER: Na, Gott sei Dank!
  Von diesem blödsinnigen Gekreische kriegt man ja Ohrenschmerzen!
SOHN: Du wirst alt, Papa.
VATER: Wieso werde ich alt? Weil ich dieses entsetzliche Gebrüll nicht ertragen kann?
SOHN: Jetzt brüllst du aber selber.

VATER: Ist ja auch kein Wunder, wenn einem bei diesem Krach die Nerven durchgehen!

SOHN: Charly sagt, bevor bei seinem Vater die Nerven durchgehen, trommelt der kräftig auf der Tischplatte herum; das soll kolossal beruhigen, meint Charly.

VATER: Charly, Charly, Charly! Vielleicht sagt dir dein Charly auch, daß man seine Schularbeiten nicht bei dieser Rockmusik macht!

SOHN: Warum nicht?

VATER: Weil man sich auf seine Arbeit konzentriert!

SOHN: Auf welche?

VATER: Auf die Schularbeiten selbstverständlich! Auf was denn sonst?! – Ich habe manchmal das Gefühl, du willst einfach nicht verstehen. Oder ist dir diese Musik schon aufs Trommelfell geschlagen?

SOHN: Aufs Trommelfell?

VATER: Ja, aufs Trommelfell. Davon wird man schwerhörig. Mir summen die Ohren von dem Krach.

SOHN: Ist doch gut. Das mag ich.

VATER *äfft ihn nach*: Das mag ich!? – So fängt es an.

SOHN *begeistert*: Man muß nur laut genug aufdrehen.

VATER: Laß dir einmal was sagen: Laute Popmusik macht krank! Das haben die Ärzte ausführlich bewiesen.

Aber euch jungen Leuten kann man doch erzählen was man will; eher biegt sich eine Wand, als daß ihr einem zuhört, geschweige mal einen Ratschlag befolgt.

SOHN: Du meinst, das hängt mit Popmusik zusammen? Gestern haben wir nämlich auf dem Schulhof mit Peters Recorder Popmusik gehört, und da kriegte hinterher der Klaus sofort wahnsinnige Bauchschmerzen.

VATER: Na, also – da hast du's ja.

SOHN: Und dann mußte er auf den Lokus gehen und hinterher nach Hause.

VATER: Das war wohl mehr ein Trick, wie?

SOHN: Das mit dem Nachhausegehen?!

VATER: Ihr habt nicht zufällig in der nächsten Stunde eine Klassenarbeit geschrieben? – Naja, reden wir nicht davon. Jedenfalls: Bei Bauchschmerzen allein bleibt es nämlich nicht. Wenn diese sogenannten Pop-Gruppen mit ihren Verstärkeranlagen euch diese Töne in ihren Konzerten nur so um die Ohren knallen, dann kann das leicht zu Herzerkrankungen, zu Kreislaufschäden und sogar zu Taubheit führen – jawohl zu Taubheit, mein Sohn, also merk dir das! Diese Musik ist doch nur ein Ventil aufgestauter Aggressivität.

SOHN: Was ist denn das?

VATER: Der Drang, jemanden anzugreifen, ihn kampfunfähig zu machen.

SOHN: . . . und das sagen alles die Ärzte?

VATER: Und die müssen es ja schließlich wissen.

SOHN: Aber Charly sagt . . .

VATER: Dein Charly ist doch gar nicht maßgebend. Der soll erst mal was lernen, studieren und dann kann er mitreden!

SOHN: Unsere neue Lehrerin findet Popmusik auch dufte.

VATER: So? – Das wundert mich aber sehr. Ich habe sie immer für eine sehr intelligente Frau gehalten.

SOHN: Ja, die ist schon in Ordnung. Die mögen wir alle. Du auch, nicht? *Er lacht verschmitzt.* Die ganze Klasse weiß, daß du verknallt bist.

VATER: Nun komm, komm, komm! Halt mal die Luft an! Wieso weiß das die ganze Klasse – ich meine – wer redet denn so einen Quatsch?!

SOHN: Früher hast du dich doch nie nach mir in der Schule

erkundigt, aber jetzt kommst du bald jede Woche.

VATER: Ich erkundige mich nur nach deiner Leistung. Da müßte ich eigentlich jeden Tag nachfragen.

SOHN: Mach's doch.

VATER: Hast sie was gesagt?

SOHN: Tja, neulich in der Schule, als du da warst, da hat sie gesagt: «Da kommt der Typ ja schon wieder!»

Der Vater räuspert sich.

VATER: Nun ja – ich werde in Zukunft schriftlich nachfragen.

SOHN: Was willst du denn fragen? Schriftlich?

VATER: Das geht dich nichts an. Die Antwort wollen wir dann erst mal abwarten.

SOHN: Tu's doch.

VATER: Dann werden wir ja sehen, ob sie mit dir zufrieden ist.

SOHN: Klar ist sie zufrieden, sonst hätte sie Charly und mich und die anderen ja nicht zu sich eingeladen.

VATER: Wieso? – Was wollt ihr denn da?

SOHN: Sie will uns Platten von Elvis vorspielen. Da gehen wir alle hin.

VATER: Von wem?

SOHN: Elvis Presley natürlich.

VATER: Typisch! – Da habe ich neulich erst gelesen, daß die Kameraleute bei den Aufnahmen dieser Krakeeler Ohrenschützer wie auf den Flughäfen tragen, damit ihnen bei der Geräuschkulisse nicht das Trommelfell platzt. – Tja, dann nehmt euch mal gleich Ohropax mit.

SOHN: Was ist Ohropax?

VATER: 'ne Art Watte, die stopft man sich ins Ohr und dann hört man den Krach nicht mehr. – Zumindest nur 20 Prozent.

SOHN: Aber wir wollen doch gerade den Krach hören!

VATER: Eure Lehrerin sollte euch lieber eine Oper oder ein Symphoniekonzert vorspielen, da hört ihr wenigstens vernünftige Musik! Richard Wagner zum Beispiel.

SOHN: Na, der hat aber auch 'n ganz schönen Zahn drauf.

VATER: Euren Elvis wird er wohl schwerlich übertreffen.

SOHN: Sag das nicht, Papa.

Die Rattles, die hatten in einem Konzert den Richard Wagner auf der Gitarre – das waren glatt 125 Phon.

VATER: Was weißt du denn schon von Phon?

SOHN: Phon ist der Meßwert, nach dem man die Lautstärke von Tönen mißt, sagt unsere Lehrerin.

VATER: Ja, das behältst du, aber Rechnen mangelhaft!

SOHN: Eine Taschenuhr hat zehn Phon, die Sprache hat 50 Phon . . .

VATER: Was – nur fünfzig? Das kann ich mir bei deinem Mundwerk aber kaum vorstellen!

SOHN: . . . der Straßenverkehr hat 80 Phon, ein startendes Düsenflugzeug 120, wenn man dicht dran ist – und Popmusik im Konzert 125!

VATER: 125 – und das freut dich wohl auch noch?

SOHN: Prima, Papa!

VATER: Da brauche ich mich ja überhaupt nicht mehr zu wundern, nachdem du ja offensichtlich Pop-Fan geworden bist, daß du in letzter Zeit nur noch auf jedes vierte Wort hörst. Und das wird mit den Jahren schlimmer. – Oh ja, der Zukunftsberuf ist Ohrenarzt und Psychiater.

SOHN: Was ist ein Psychiater?

VATER: Das ist ein Arzt, der auch dann zu heilen versucht, wenn ihr plemplem geworden seid und nicht nur während eines Pop-Konzerts wie die Irren herumzappelt.

SOHN: Ich zapple doch gar nicht.

VATER: Das wird sich erst später herausstellen, wenn man dir in verschiedenen Konzerten mehrere tausend Phon in die Ohren geblasen hat. Bei diesen Verstärkern vibrieren ja schon Mauern und Fußböden! Und selbst die Fans sollen, das habe ich gelesen, aus den Konzerten laufen, weil ihnen die Ohren sausen.

SOHN: Charly und ich finden den Krach prima.

VATER: Bitte, bitte, macht, was ihr wollt. Aber komme mir ja nicht vor der nächsten Klassenarbeit und sage: Ich hab Ohrenschmerzen! – Und wenn ich dich persönlich in die Schule schaffe, die Arbeit schreibst du!

Der Vater betätigt den Plattenspieler. Hier! – Ich will dir mal eine Kostprobe von einem wahren Meister der Musik vorführen: Richard Wagner, Tannhäuser, Venusberg – na, ist das ein Orchester?

SOHN: Sind das Gitarren?

VATER: Na, hör mal! Geigen! – Die können spielen . . .

SOHN: Wenn du nicht gesagt hättest, daß das von Wagner sein soll, würde ich glatt denken, da spielen die Who's.

VATER: Die – was?

SOHN: Die Who's.

VATER: Wer sind die Who's?

SOHN: Na, die Who's – die heißen Who's, weil sie Who's heißen.

VATER: Das hätte ich mir beinahe denken können. – Also wieder mal eine von euren Krachmacher-Bands. Weißt du eigentlich was Who heißt? Who ist englisch und heißt «wer». – Und wenn sich einer schon «wer» nennt, was kann man von dem schon erwarten! *Der Vater legt den Tonarm auf einen besonders dramatischen Teil der Ouvertüre.* Das ist ein Klang! – Das ist eben Wagner, und nicht Who's! Das hat dein Großvater deinem Vater schon vorgespielt, als ich noch in den Windeln lag.

SOHN: Und das hast du überstanden?
VATER: Wie du siehst! – Und sehr gut sogar!

Die Türglocke ertönt mehrmals hintereinander langanhaltend.

Sieh mal, wer draußen ist.
SOHN *kommt grinsend zurück*: Du, Papa, der Meier war da und hat gesagt, ich soll dir sagen, sein Wagnerbedarf sei gedeckt. Du sollst die Krachmusik leiser stellen.

Beamte sind auch nur Menschen
Eugen Helmlé

SOHN: Papa, Charly hat gesagt, sein Vater hat gesagt, Beamte fahren auch nicht besser als andere Leute.

VATER: So? Und wo hat Charlys Vater diese Erfahrung gemacht?

SOHN: Weiß ich nicht.

VATER: Der hat doch erst seit ein paar Wochen seinen Führerschein.

SOHN: Nö, Charly sagt, sein Vater hat den Führerschein schon vor -zig Jahren gemacht.

VATER: Vor -zig Jahren! Überleg doch mal richtig! Charlys Vater ist höchstens fünfunddreißig. Vielleicht auch etwas älter. Außerdem hat er sein Auto erst seit kurzem.

SOHN: Deshalb kann er den Führerschein doch schon längst gemacht haben.

VATER: Ja sicher. Ist dem auch zuzutrauen, daß er sich ans Steuer setzt, obwohl er seit Jahrzehnten nicht mehr gefahren ist. Diese Leute haben ja kein Verantwortungsgefühl! Kein Wunder, daß es so viele Unfälle gibt.

SOHN: Wieso seit Jahrzehnten? Gerade hast du gesagt, daß Charlys Vater höchstens fünfunddreißig ist.

VATER: Na und, sind das etwa keine Jahrzehnte?

SOHN: Aber vor achtzehn Jahren kann man ja gar nicht den Führerschein machen.

VATER: Viel zu früh! Wenn es nach mir ginge, nicht vor fünfundzwanzig! Dann gäbe es mit Sicherheit weniger rücksichtslose Fahrer.

SOHN: Die Jungen sind nicht allein rücksichtslos.

VATER: Aber meistens.

SOHN *nach kurzer Pause*: Du Papa, ist das nicht verboten, wenn man auf der Autobahn ständig auf der Überholspur bleibt?

VATER: Sicher ist das verboten.

Und zwar zu Recht!

SOHN: Du bist aber schon eine ganze Weile auf der Überholspur.

VATER: Soll ich vielleicht im Zickzack fahren, mal rechts, mal links? Du siehst doch, daß alle hundert Meter so eine Schnecke auf der rechten Spur dahinkriecht. Deshalb bleibe ich gleich links, bis die Bahn ganz frei ist. Das tue ich aber nicht ständig.

SOHN: Ich meine ja nur, wegen der Straßenverkehrsordnung. Charly sagt nämlich, gerade Beamte hätten sich an die Vorschriften zu halten, vonwegen Vorbild und so.

VATER: Sieh mal an! Der Beamte wird plötzlich für die Charlys zum Vorbild! Aber immerhin, wenn sie so einsichtsvoll sind, ist ja noch nicht jede Hoffnung bei diesen Leuten verloren.

SOHN: Du, Papa, hör doch mal, wie der Flitzer hinter uns hupt.

VATER: Der denkt wohl, er ist schneller als ich. Aber dem werd ich was husten. Erst überholen wir noch diese beiden lahmen Enten da vorn, dann geh ich rüber.

SOHN: Der ist ganz schön sauer!

VATER: Ein Sportwagenfahrer! Die halten sich für was Besseres.

SOHN: Weil die halt mehr PS unter der Haube haben.

Das Hupen des Sportwagens wird immer lauter. Der Vater ordnet sich rechts ein und der schnelle Flitzer überholt.

Du, Papa, warum bezahlen Beamte eigentlich weniger für die Autoversicherung als andere? Charly sagt, das ist ungerecht.

VATER: Weil sie besser fahren, das ist alles.

SOHN: Aber Charlys Vater sagt, daß Beamte gar nicht besser fahren.

VATER: Daß Charlys Vater das sagt, glaube ich gern, aber was der sagt, ist zum Glück nicht maßgebend.

SOHN: Das sagt aber Charlys Vater nicht allein. Die Versicherungen, sagt Charly, die sind jetzt auch dahintergekommen, daß Beamte nicht besser fahren.

VATER: Laß dir doch keinen Bären aufbinden, Junge.

SOHN: Das ist kein Bär. Weil, die Beamten müssen nämlich mehr bezahlen.

VATER: Moment mal, was ist denn das für eine Logik! Bezahlen sie nun mehr oder bezahlen sie weniger?
Ich denke, Charlys Vater reißt den Mund auf, weil sie weniger bezahlen.

SOHN: Ja, weil das ungerecht ist, sagt er, daß ein Arbeiter, der sowieso schon weniger verdient . . .

VATER: Larifari!

SOHN: Jedenfalls muß ein Arbeiter mehr Geld für seine Autoversicherung bezahlen als ein Beamter, obwohl er bei einem Unfall auch nicht mehr bekommt.

VATER: Ist das auch von Charlys Vater?

SOHN: Ich glaube. Oder von Charly.

VATER: Dann kannst du deinem überschlauen Charly sagen, daß auch ein Beamter nichts bekommt, wenn er einen Unfall baut. Die Autoversicherung ist nämlich eine Haftpflichtversicherung, das heißt, die Versicherung kommt nur für die Schäden auf, die der Fahrzeughalter verursacht.

SOHN: Zahlt sie für Beamten-Schäden weniger?

VATER: Nein.

SOHN: Warum bezahlen die dann weniger für die Versicherung?

VATER: Weil Beamte in der Regel weniger Unfälle bauen.

SOHN: Und woher weiß man das?

VATER: Aus der Statistik!

SOHN: Und woher weiß das die Statistik?

VATER: Mann, du kannst einen vielleicht dusselig fragen! Die weiß das eben!

SOHN: Und warum bauen Beamte weniger Unfälle, in der Regel?

VATER: Weil Beamte überlegter, besonnener, rücksichtsvoller sind, weil sie die Verkehrsregeln beachten usw. Und das wird ihnen von den Versicherungen durch einen zwanzigprozentigen Rabatt honoriert.

SOHN: Kommt honorieren von Honorar?

VATER: Ja, richtig, das kommt von Honorar.

SOHN: Und dieses Honorar kriegen alle Berufe, die rücksichtsvoll fahren?

VATER: Wie meinst du das? Rabatt bekommt jeder, der schadensfrei fährt. Nur Beamte bekommen zusätzlich noch einen Vorausrabatt.

SOHN: Was ist ein Vorausrabatt?

VATER: Das ist der Rabatt, den die Versicherung von vornherein gewährt, weil sie weiß, daß Beamte besser fahren.

SOHN: Und wenn die Statistik nun sagt, die Friseure oder die Bäcker bauen weniger Unfälle als die anderen Berufe, bekommen dann alle Friseure oder Bäcker auch einen zusätzlichen Rabatt?

VATER: Natürlich nicht.

SOHN: Warum dann die Beamten?

VATER: Zum Teufel, das erkläre ich dir doch die ganze Zeit!

SOHN: Mir ist aber nichts klargeworden.

VATER: Jetzt laß mich endlich mal mit deiner Fragerei in Ruhe. Du siehst doch, daß ich auf den Verkehr achten muß.

SOHN: Ja, ja. Aber jetzt müssen die Beamten mehr bezahlen, sagt Charly.

VATER: Nur in den Großstädten.

SOHN: Fast 20 Prozent. Dann fahren die Beamten jetzt genauso schlecht wie alle anderen auch?

VATER: Nein. Sie fahren immer noch besser.

SOHN: Warum müssen sie dann mehr bezahlen?

VATER: Weil die Unfallhäufigkeit gestiegen ist.

SOHN: Von den Beamten?

VATER: Ganz allgemein.
Bei der augenblicklichen Verkehrsdichte vor allem in den Großstädten kann es vorkommen, daß auch Beamte öfters mal in Schadensfälle verwickelt sind.

SOHN: Ich denke, die fahren besser und rücksichtsvoller und so?

VATER: Tun sie auch. An den Beamten liegt es bestimmt nicht. Sondern daran, daß man jeden Verkehrsrowdy auf die Menschheit losläßt.

SOHN: Und wer läßt die los?

VATER: Die Behörden.

SOHN: Ich denke, die Behörden sind auch Beamte?

VATER: Behörden sind keine Beamte! Lediglich die Bediensteten einer Behörde sind Beamte!

SOHN: Sag ich ja!

VATER: Hast du eben nicht gesagt. Du mußt lernen, dich präziser auszudrücken.

SOHN: Als ob da ein Unterschied wäre.

149

VATER: Maul nicht.

SOHN: Erst laßt ihr die Rowdies los, dann beklagt ihr euch darüber.

VATER: Wir – wir! Das liegt an den Vorschriften! An die müssen Beamte sich halten. Die in erster Linie.

SOHN: Und wer macht die Vorschriften?

VATER: Der Gesetzgeber.

SOHN: Wer ist denn das?

VATER: Parlament und Regierung.

SOHN: Und die lassen die Rowdies los?

VATER: Junge, du kriegst mich an den Rand . . .

SOHN: Da sind wieder ein paar hinter uns.

VATER: Wir haben es genauso eilig wie die.

Es ertönt wildes Hupen.

SOHN: Der will vorfahren.

VATER: Soll warten.

SOHN: Das ist aber gegen die Vorschrift.

VATER: Gleich setz ich dich raus.

SOHN: Vorhin hast du gesagt, Beamte müssen sich an Vorschriften halten. Die in erster Linie.

Es hupt stärker.

VATER: Jetzt erst recht nicht. Was glaubt der denn!

SOHN: Der hat 50 PS mehr als du.

VATER: Die nutzen ihm gar nichts.

SOHN: Jetzt fährt er rechts vorbei!

VATER: Merk dir die Nummer. Den zeige ich an! Merk dir die Nummer!

SOHN: Kriegst du dafür den Beamtenrabatt?
VATER: Halt endlich deinen vorlauten Schnabel!
SOHN: Wenn alle so sind wie du . . .
VATER: Beamte sind auch nur Menschen.
SOHN: Ob das die Versicherungen wissen?

„Ick sollte ooch schon in Schule
jehn. Aber se haben mir wieder
nach Hause jeschickt. Ick weeß
zu ville!"

Alles

von

Heinrich Zille

Papa- Charly hat gesagt...

«Papa, Charly hat gesagt . . .»
Gespräche zwischen Vater und Sohn.
rororo 1849

«Papa, Charly hat gesagt . . .»
Weitere Gespräche zwischen Vater und Sohn.
rororo 4071

«Papa, Charly hat gesagt . . .»
Neue Gespräche zwischen Vater und Sohn. rororo 4362

«Papa, Charly hat gesagt . . .»
Neues von Vater und Sohn.
rororo 4645

«Papa, Charly hat gesagt . . .»
Endlich ein neuer Band aus der erfolgreichen Serie.
rororo 5139

948/5

Jean-Charles

Knilche bleiben Knilche
Stilblüten von großen und kleinen Leuten
rororo 1665

Knilche sterben niemals aus
Aus Kindermund von großen und kleinen Leuten
rororo 1734

Lachen auf Krankenschein
rororo 4461

«Hier liest man sich wahrhaft seine Sorgen davon!»
«Hans Nicklisch läßt all seine Fähigkeiten spielen, hat so viel Ironie und Freude am Ulk, aber auch so viel klare Zeiterkenntnis in die Zeilen gepackt, daß es ein Vergnügen ist, sich durch die Seiten zu lesen.» Frankfurter Rundschau

Hans Nicklisch

Vater unser bestes Stück
Eine heitere Familiengeschichte
Mit 14 Zeichnungen von Marga Karlson
rororo Band 1609

Ohne Mutter geht es nicht
Mit 23 Zeichnungen von Marga Karlson
rororo Band 1672

Ein Haus in Italien – müßte man haben
Mit 28 Zeichnungen von Helen Brun
rororo Band 1782

Duett zu dritt
rororo Band 4092

Zärtlich ist der Marabu
rororo Band 4584

828/8

James Herriot

Der Doktor und das liebe Vieh
Als Tierarzt in den grünen Hügeln von Yorkshire
256 Seiten. Geb.
Taschenbuchausgabe:
rororo Band 4393

Dr. James Herriot, Tierarzt
Aus den Einnerungen eines Tierarztes
256 Seiten. Geb. rororo 4579

Der Tierarzt kommt
256 Seiten. Geb.
Taschenbuchausgabe:
rororo Band 4910

Von Zweibeinern und Vierbeinern
Neue Geschichten vom Tierarzt James Herriot
256 Seiten. Geb.

Richard Gordon

«Seine Bücher sind so munter und mit
so viel ungezwungenem Witz geschrieben, daß auch
der Anspruchsvolle sie mit Freude und Genuß liest.»
Darmstädter Tageblatt

Aber Herr Doktor!
Ein tolldreister Roman · rororo Band 176

Doktor ahoi!
Aber Herr Doktor! – Auf hoher See · Ein tolldreister Roman
rororo Band 213

Hilfe! Der Doktor kommt
Ein tolldreister Roman · rororo Band 233

Dr. Gordon verliebt
Ein tolldreister Roman · rororo Band 358

Dr. Gordon wird Vater
Ein tolldreister Roman · rororo Band 470

Doktor im Glück
Roman · rororo Band 567

Eine Braut für alle
Roman · rororo Band 648

Doktor auf Draht
Roman · rororo Band 742

Onkel Horatios 1000 Sünden
Roman · rororo Band 953

Finger weg, Herr Doktor!
Roman · rororo Band 1694

Wo fehlt's, Doktor?
Roman · rororo Band 1812

Machen Sie sich frei, Herr Doktor!
Roman · rororo Band 4042

Käpt'n Ebbs – Seebär und Salonlöwe
Roman · rororo Band 4435

Gesundheit, Herr Doktor!
Roman · rororo Band 4610

Sir Lancelot und die Liebe
Roman · rororo Band 4638

Doktor auf Abwegen
rororo Band 4883

Paul Gallico